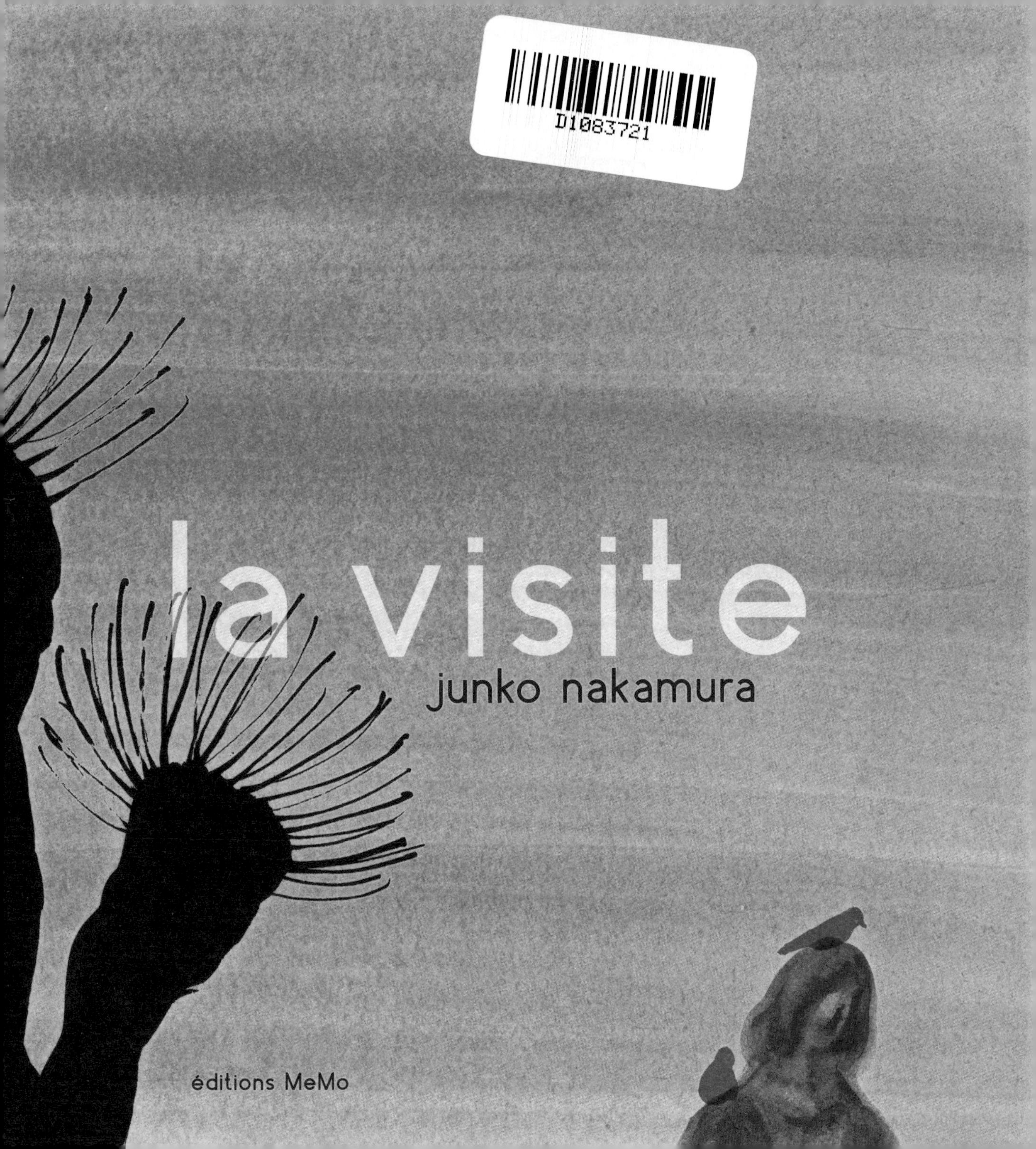
la visite
junko nakamura
éditions MeMo

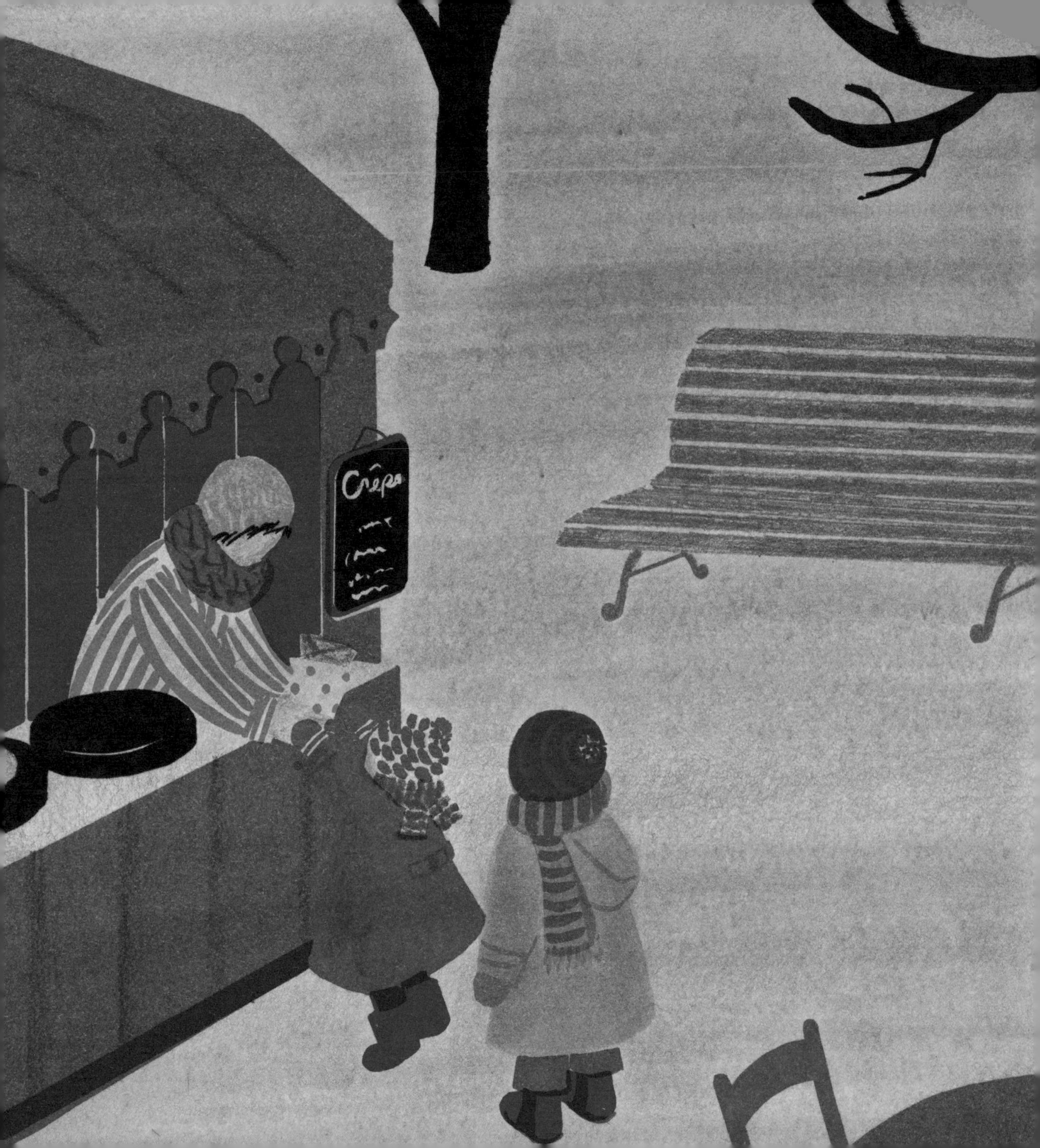

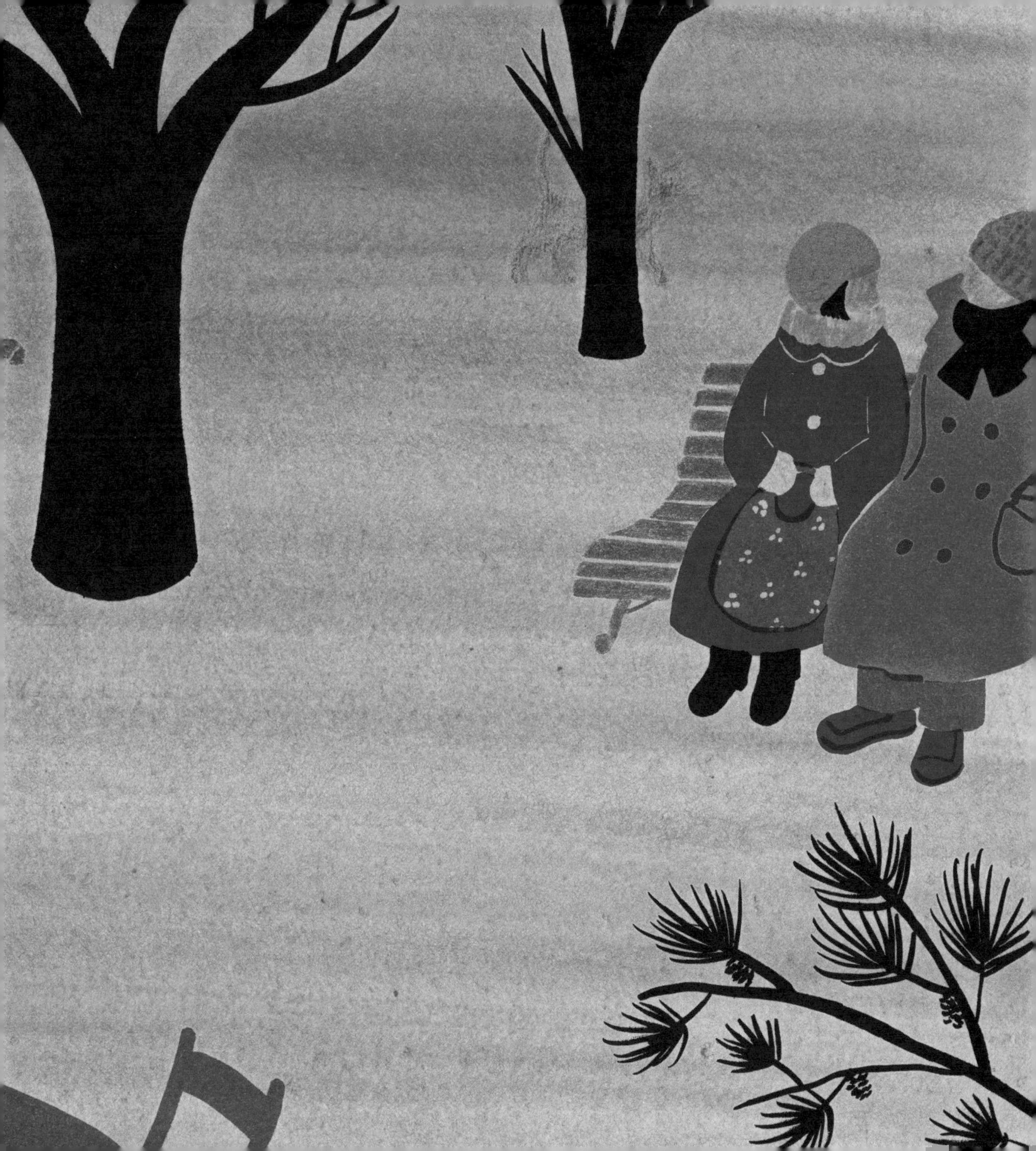

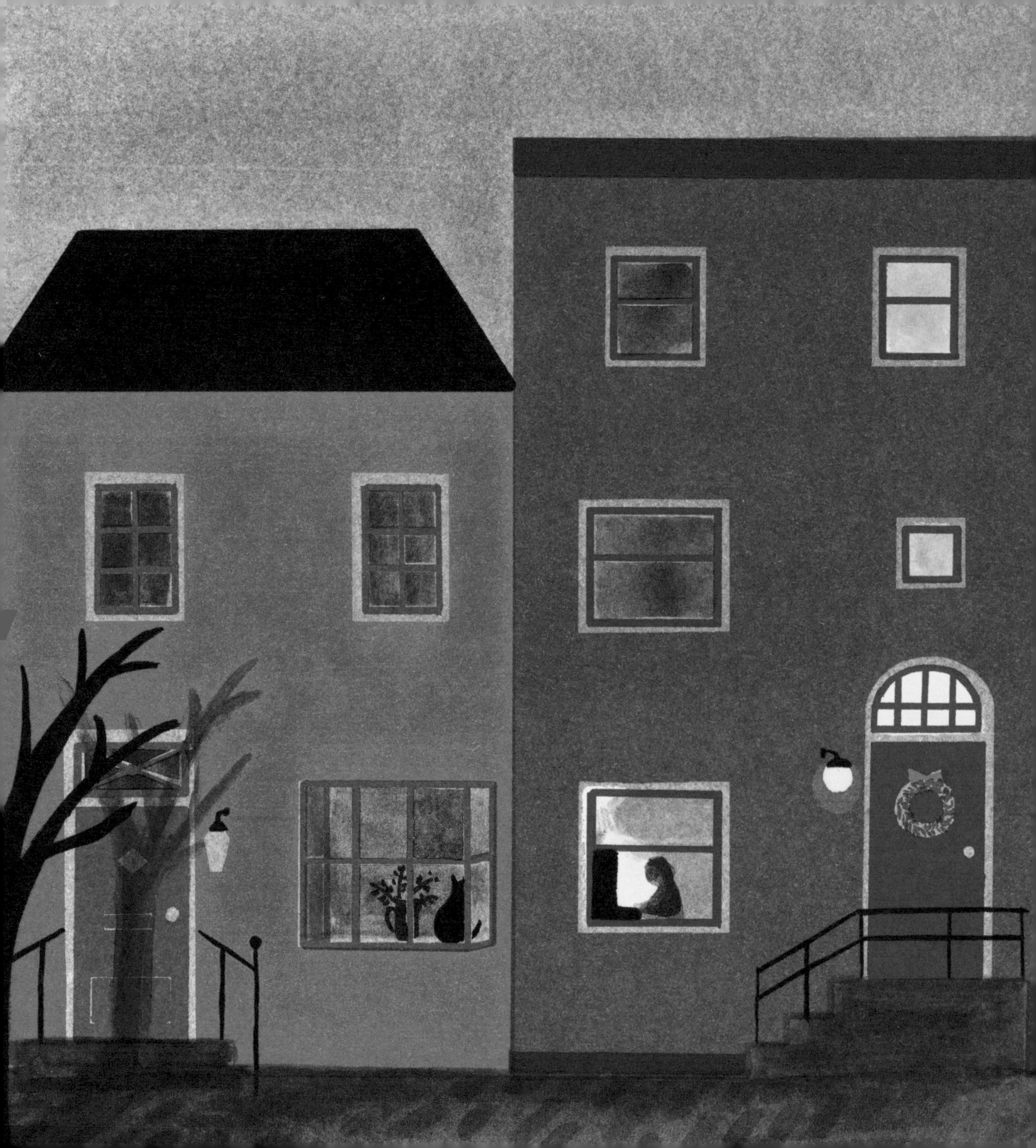

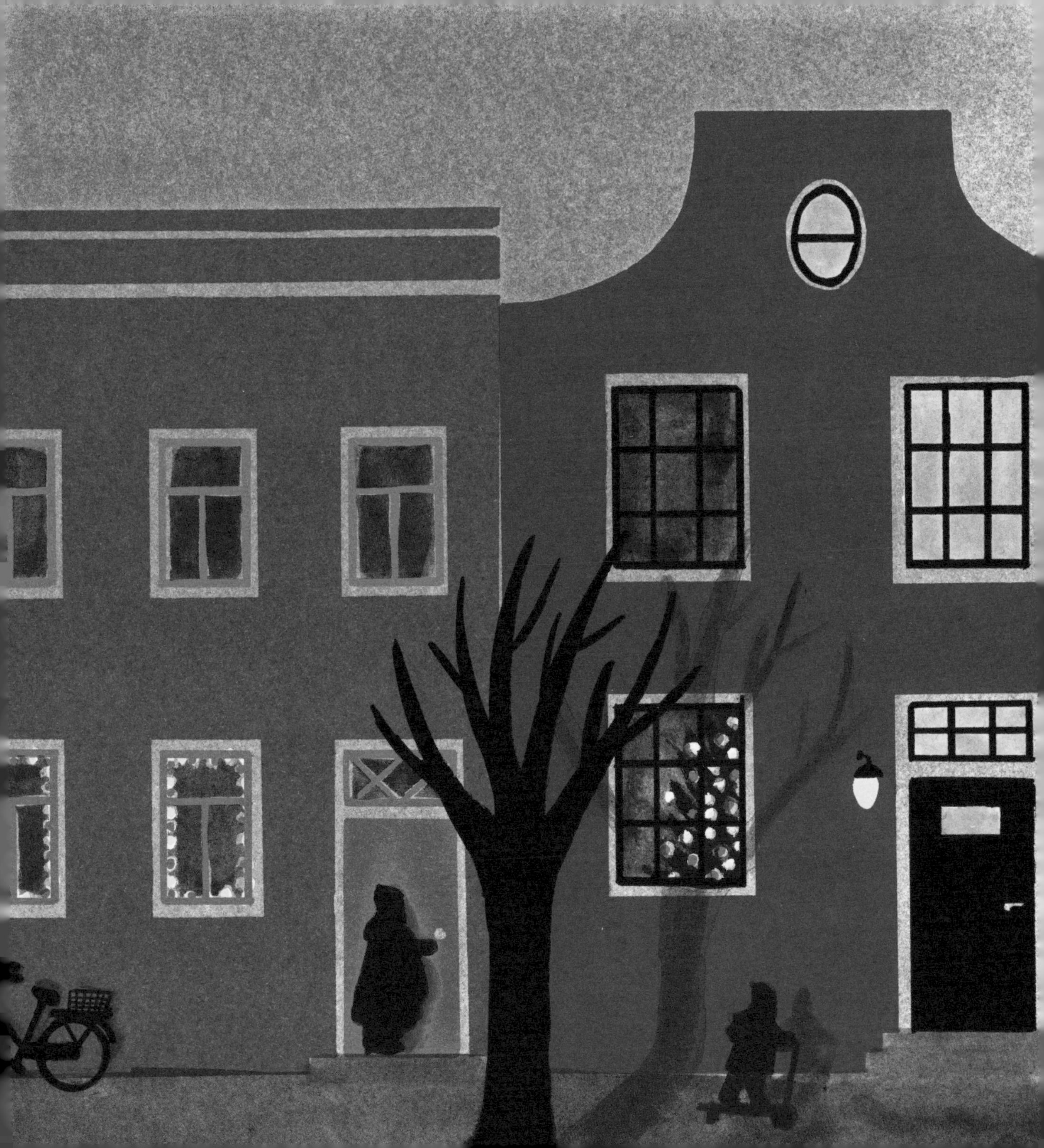

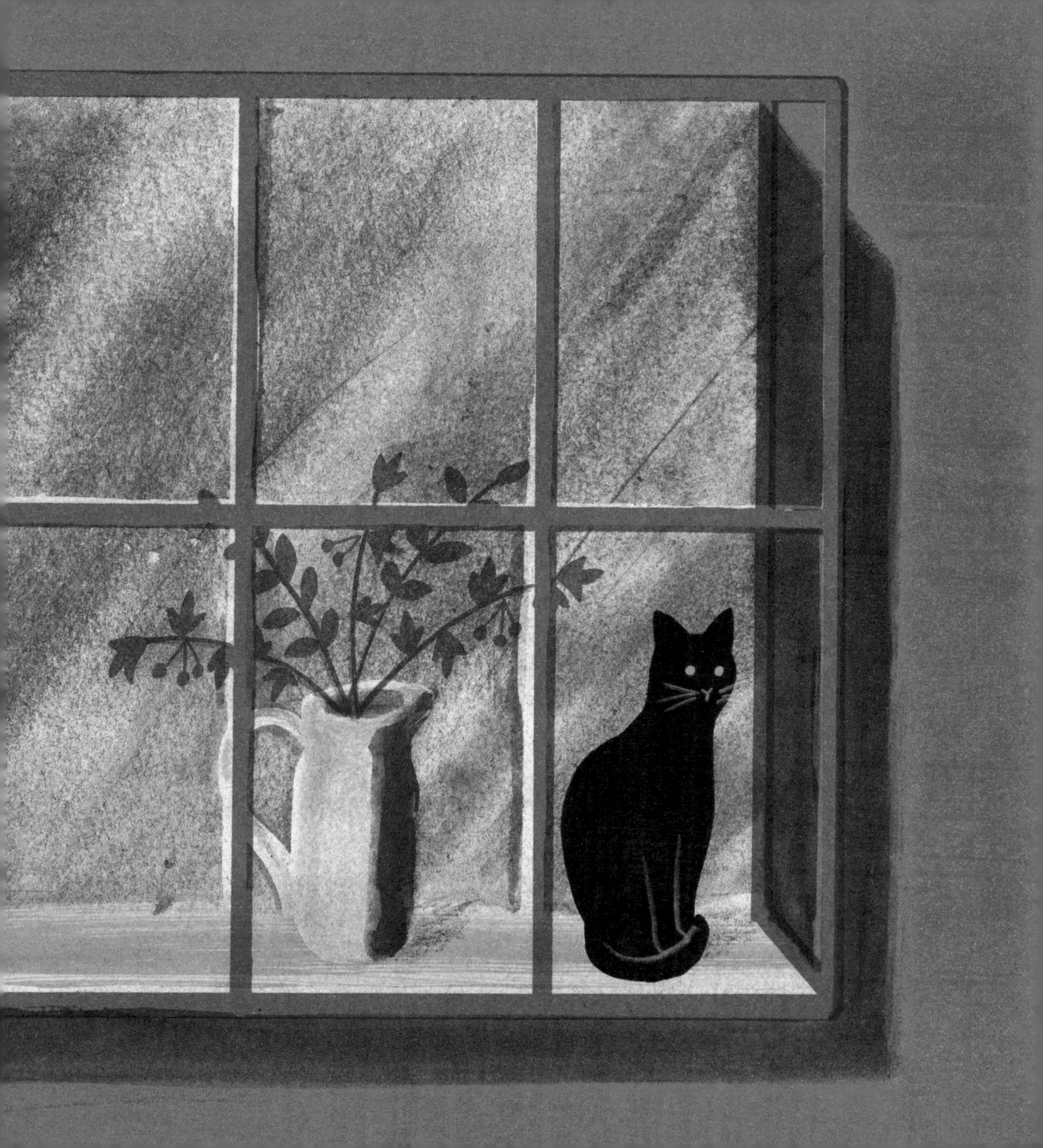

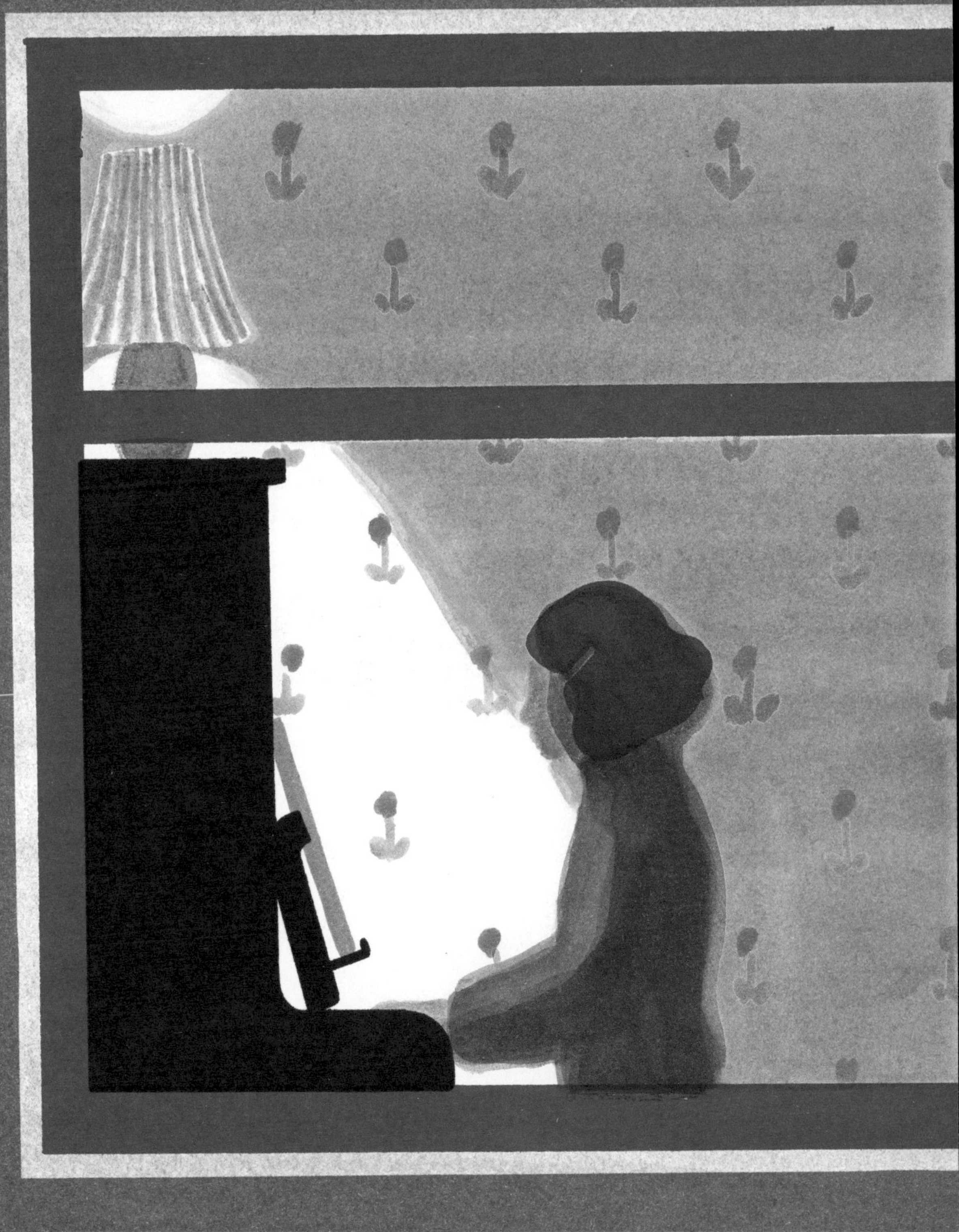

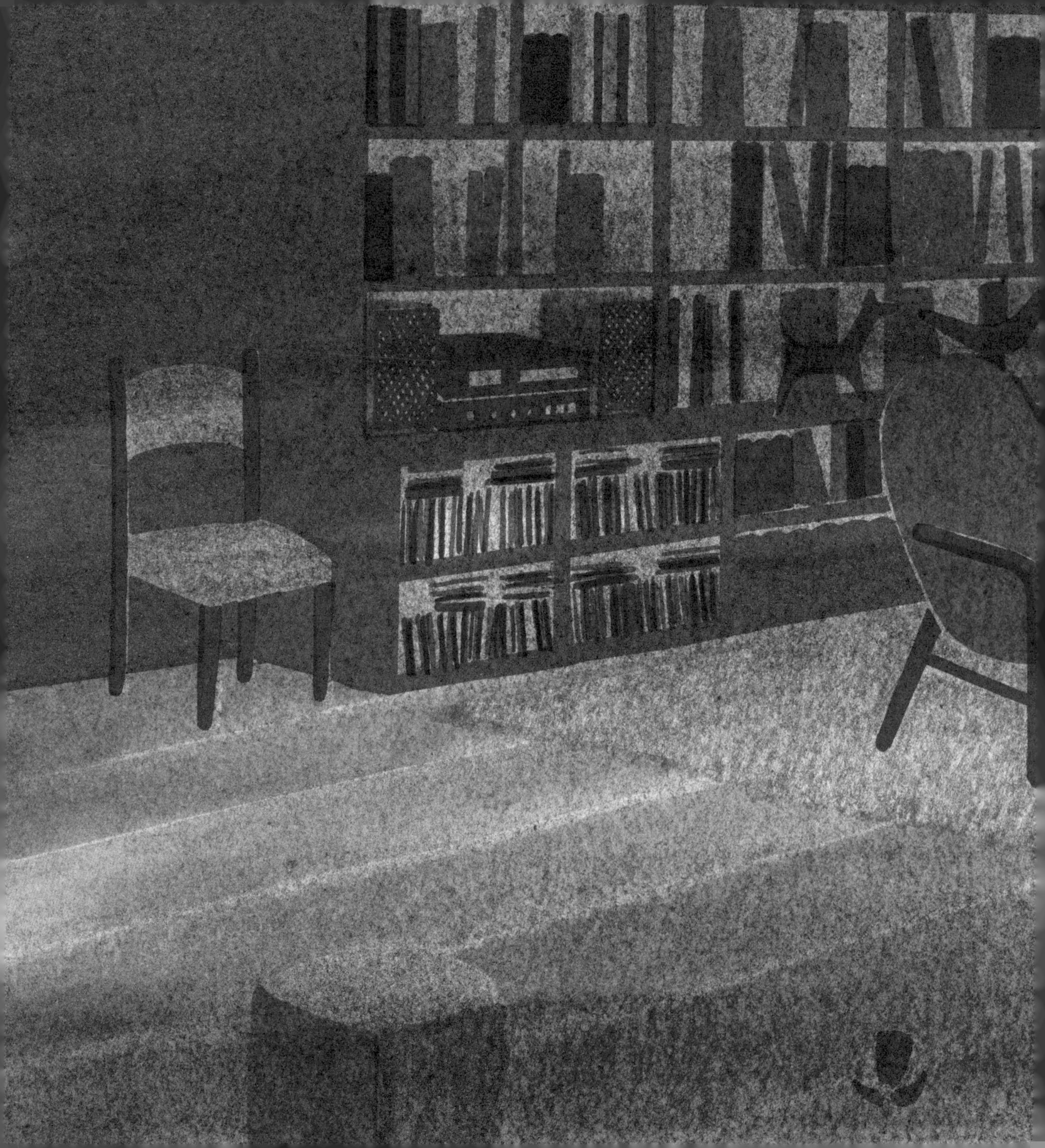

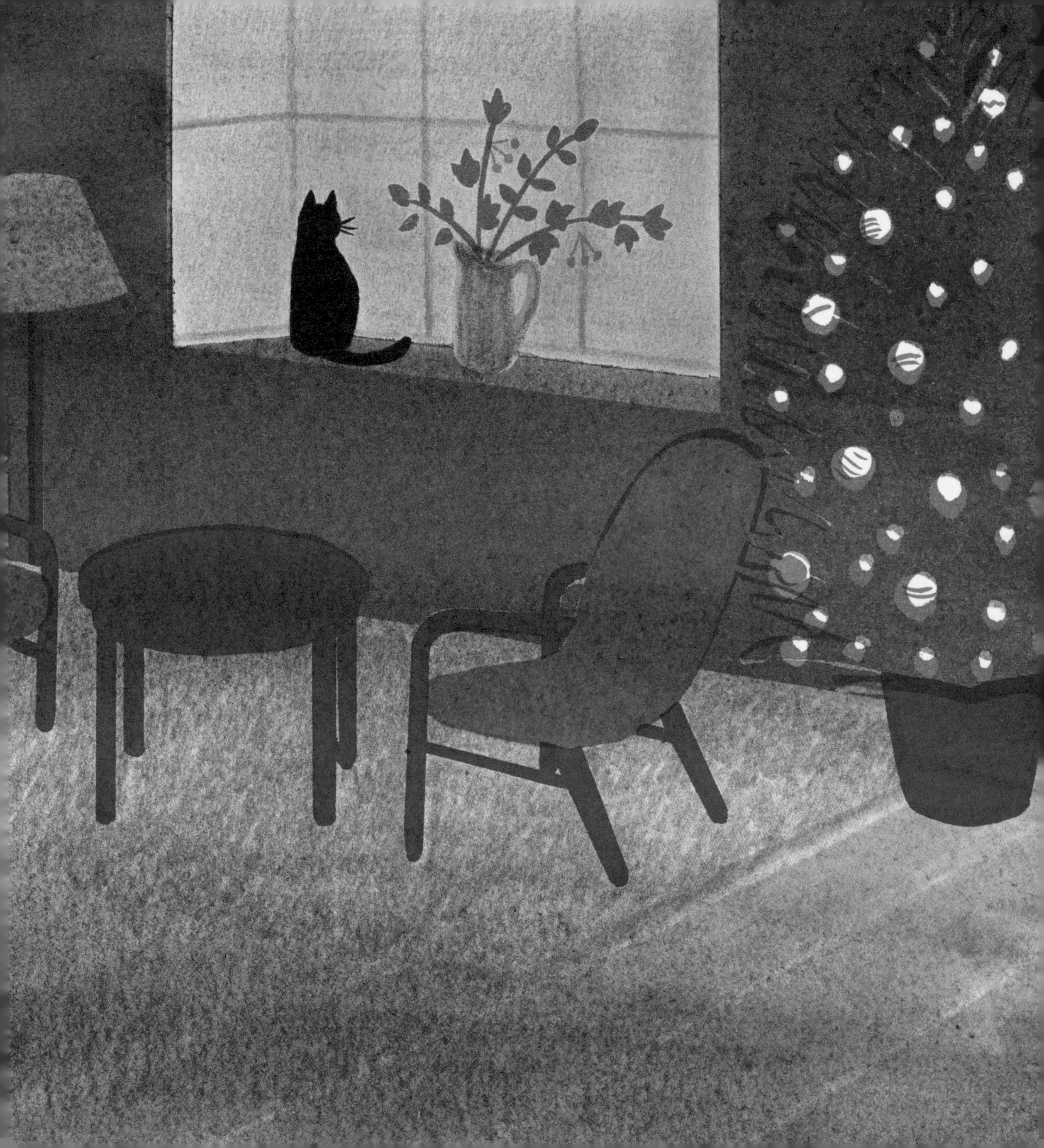

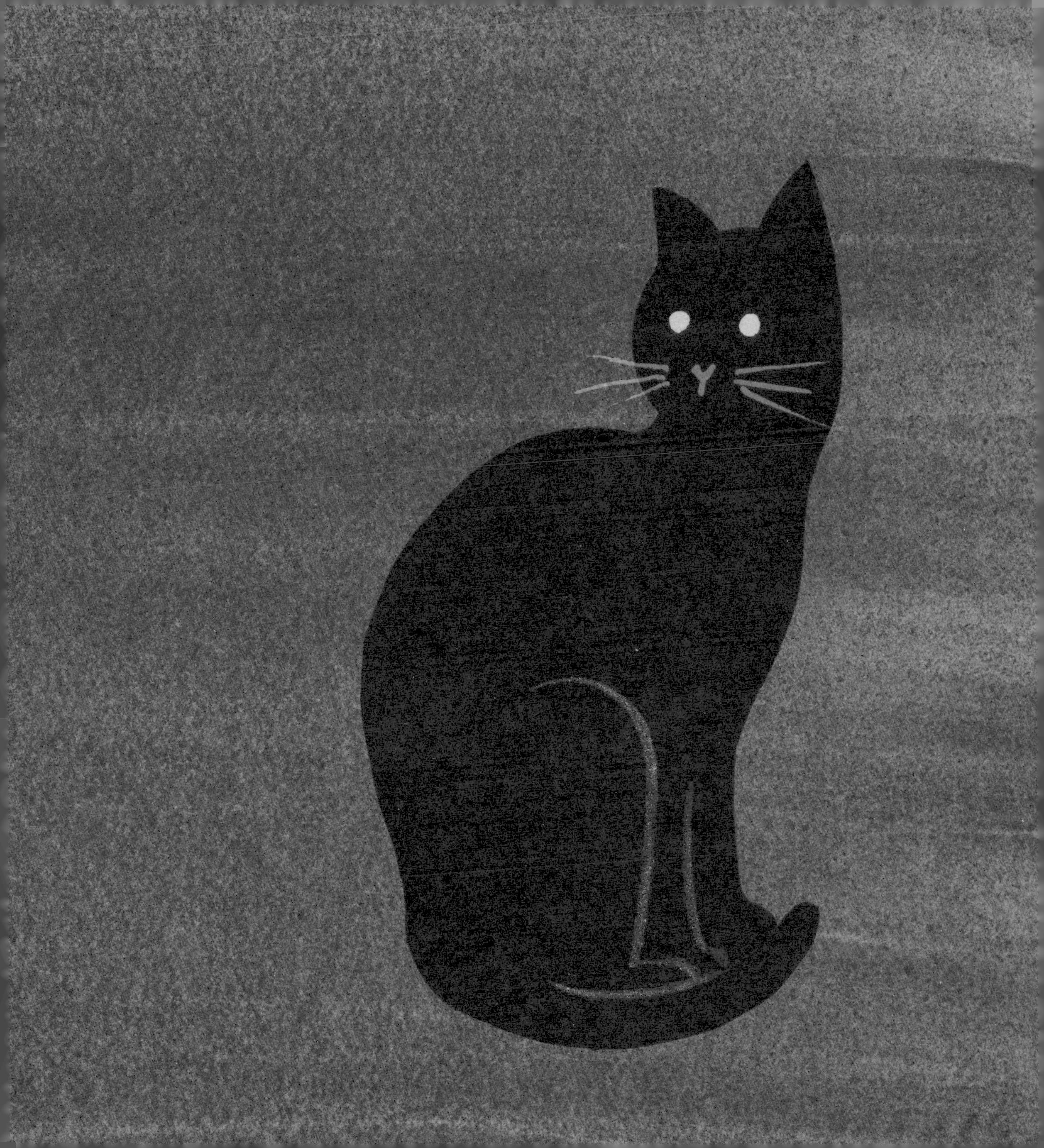

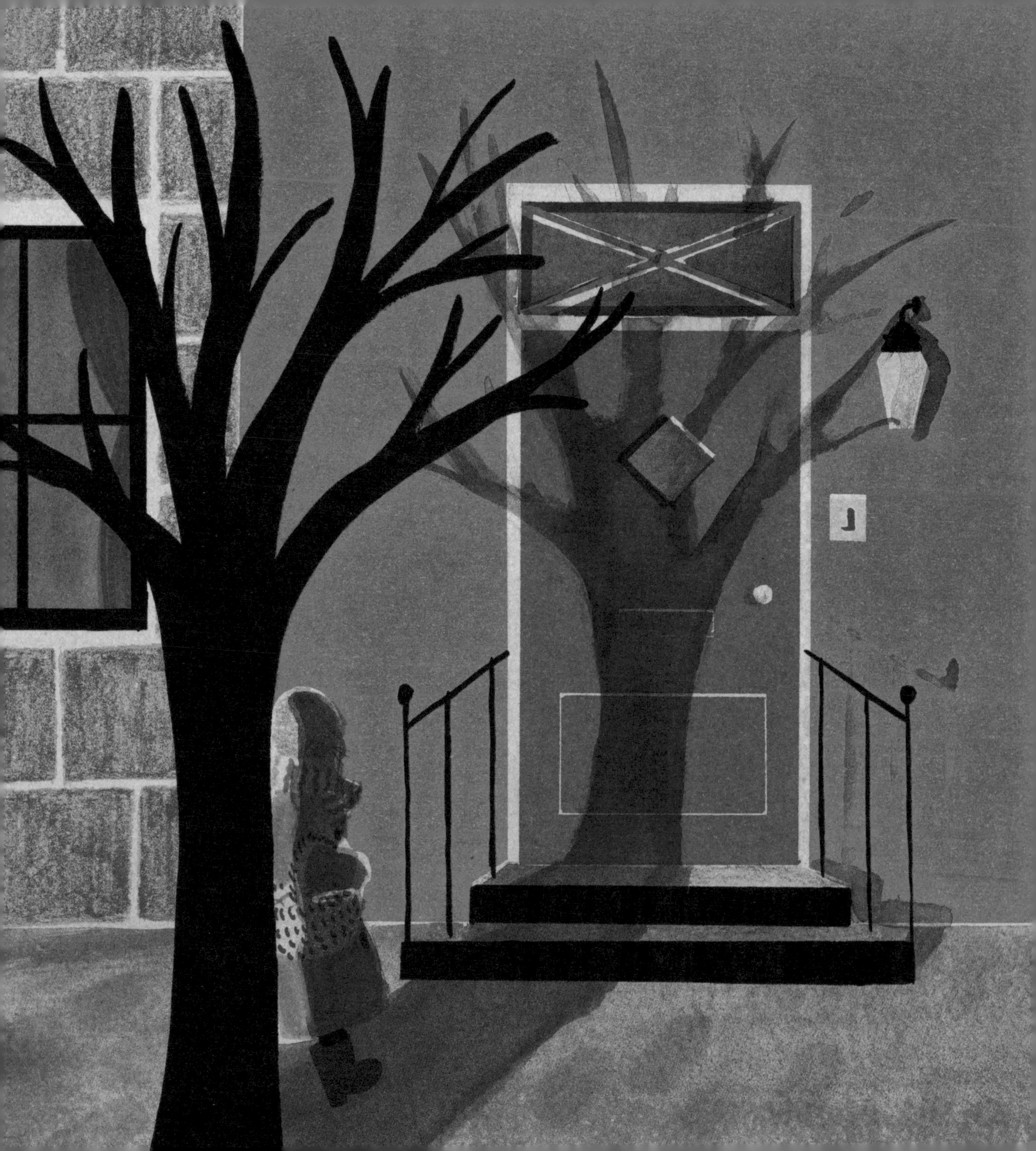

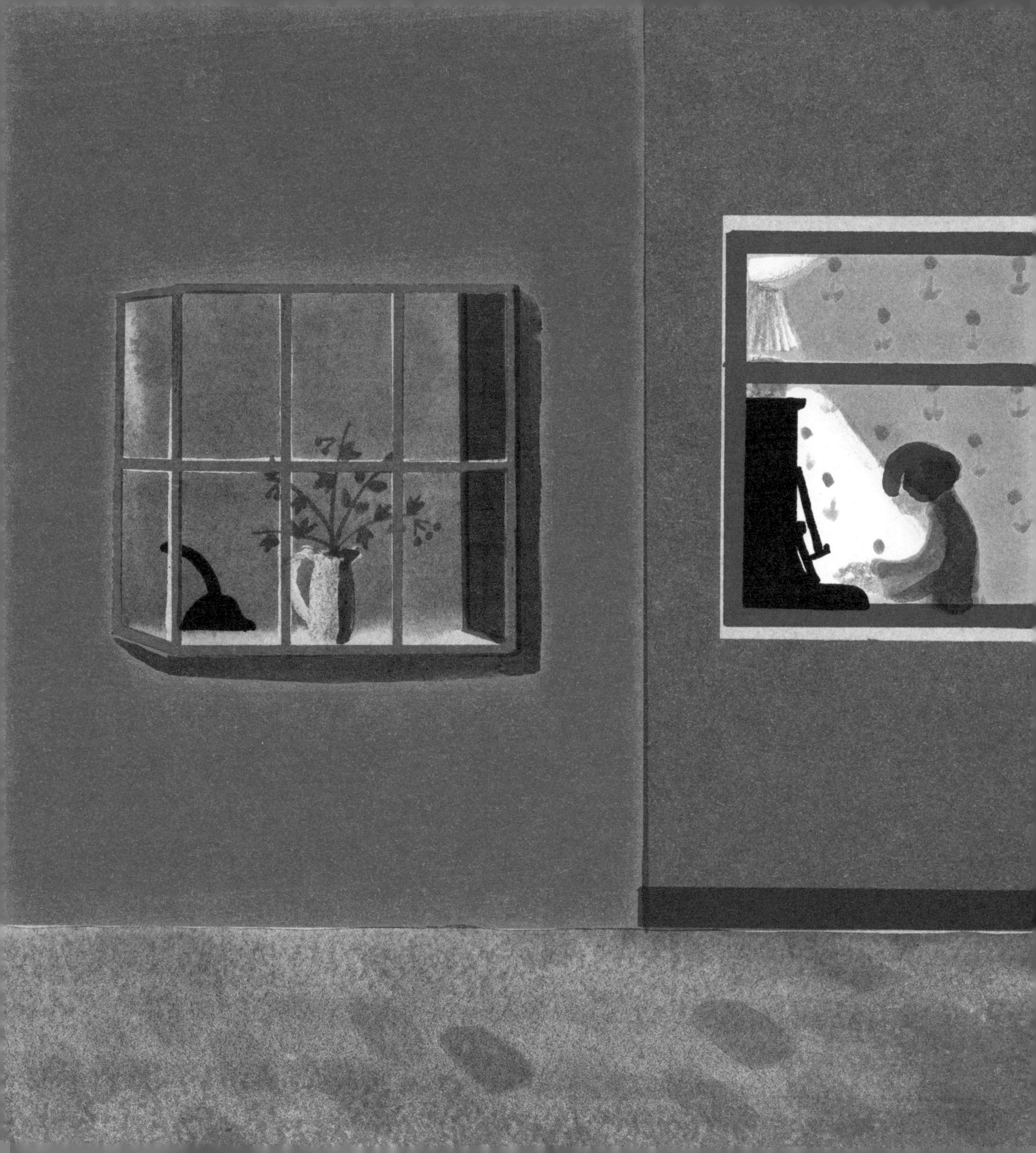

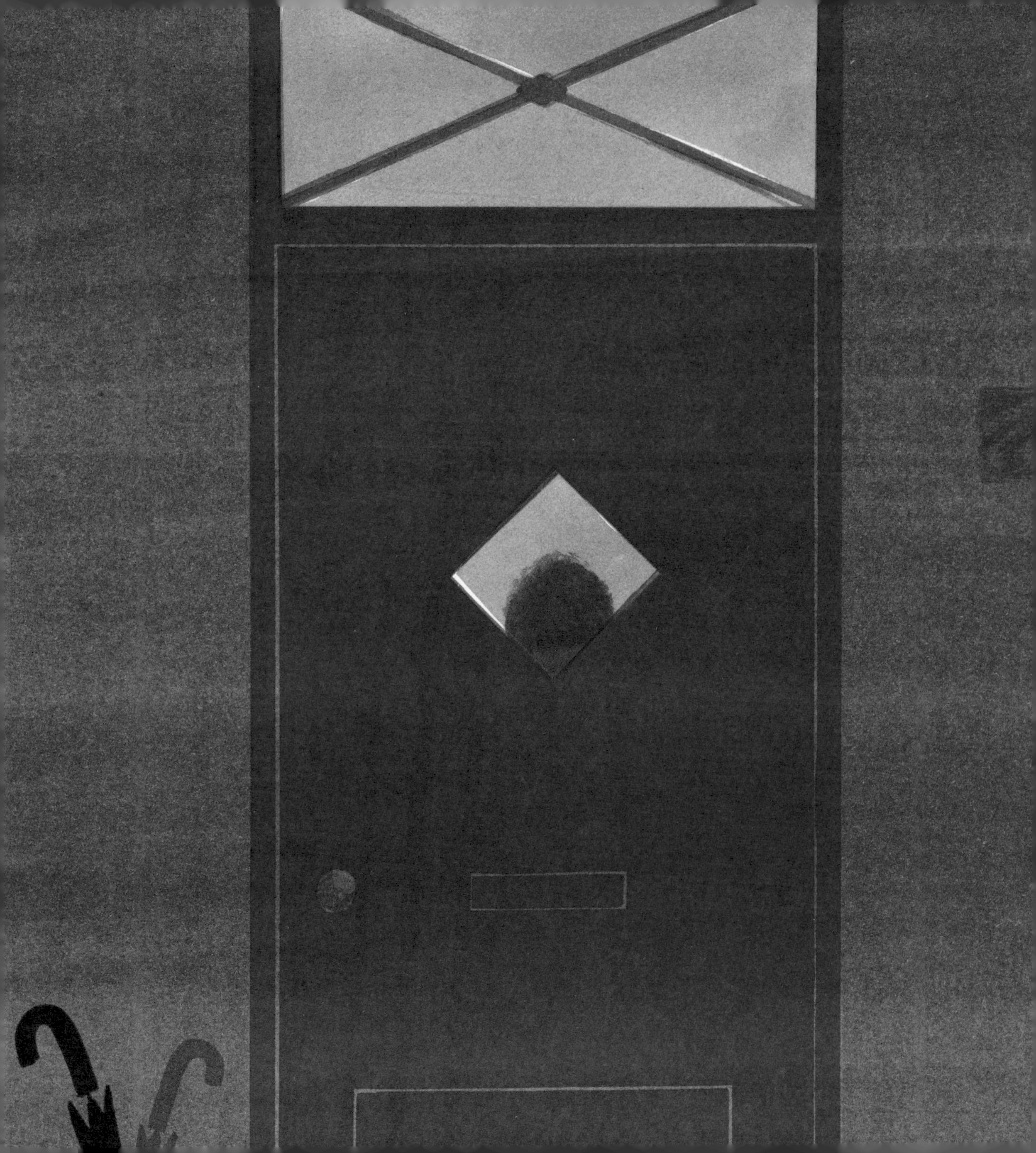

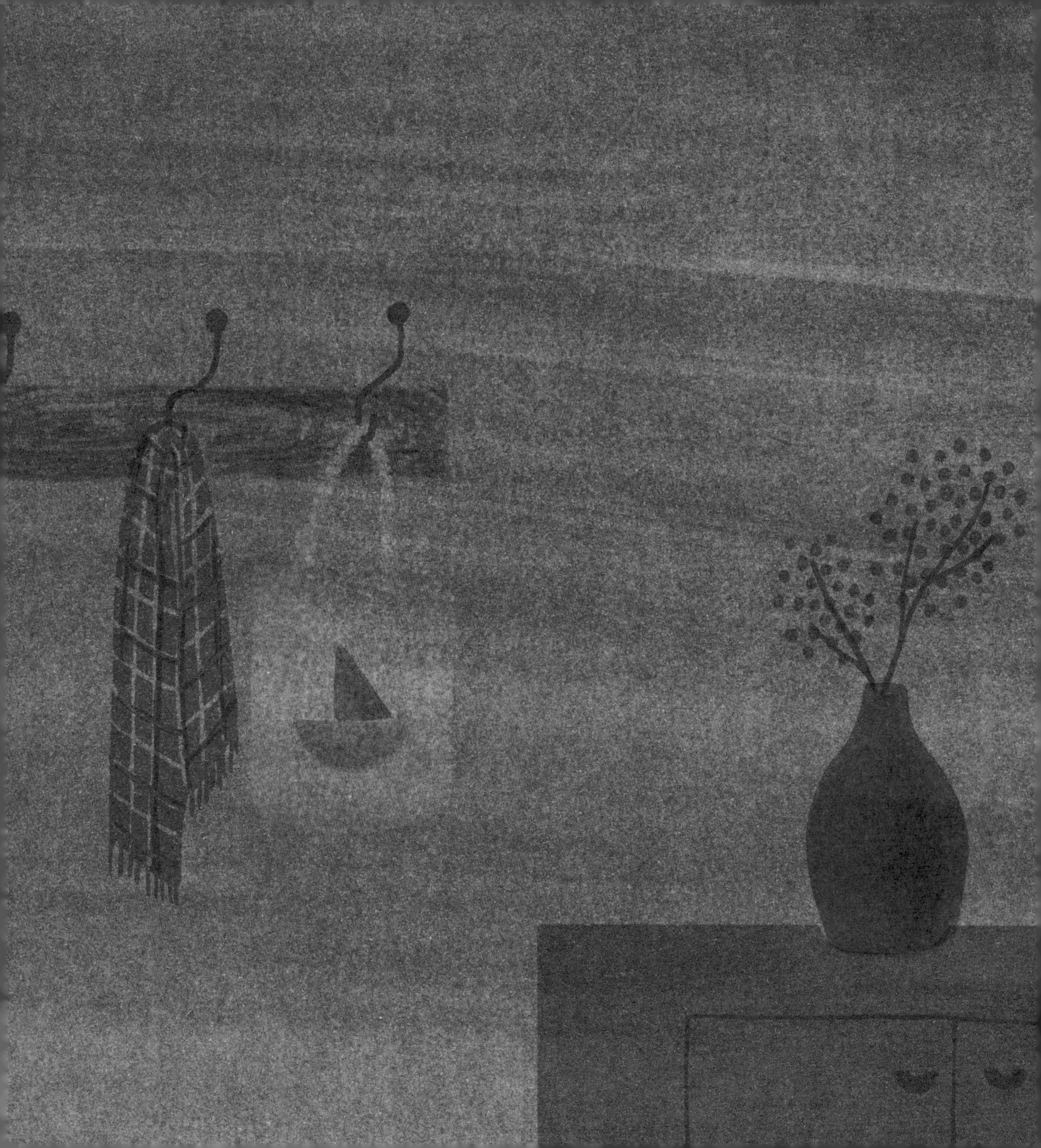

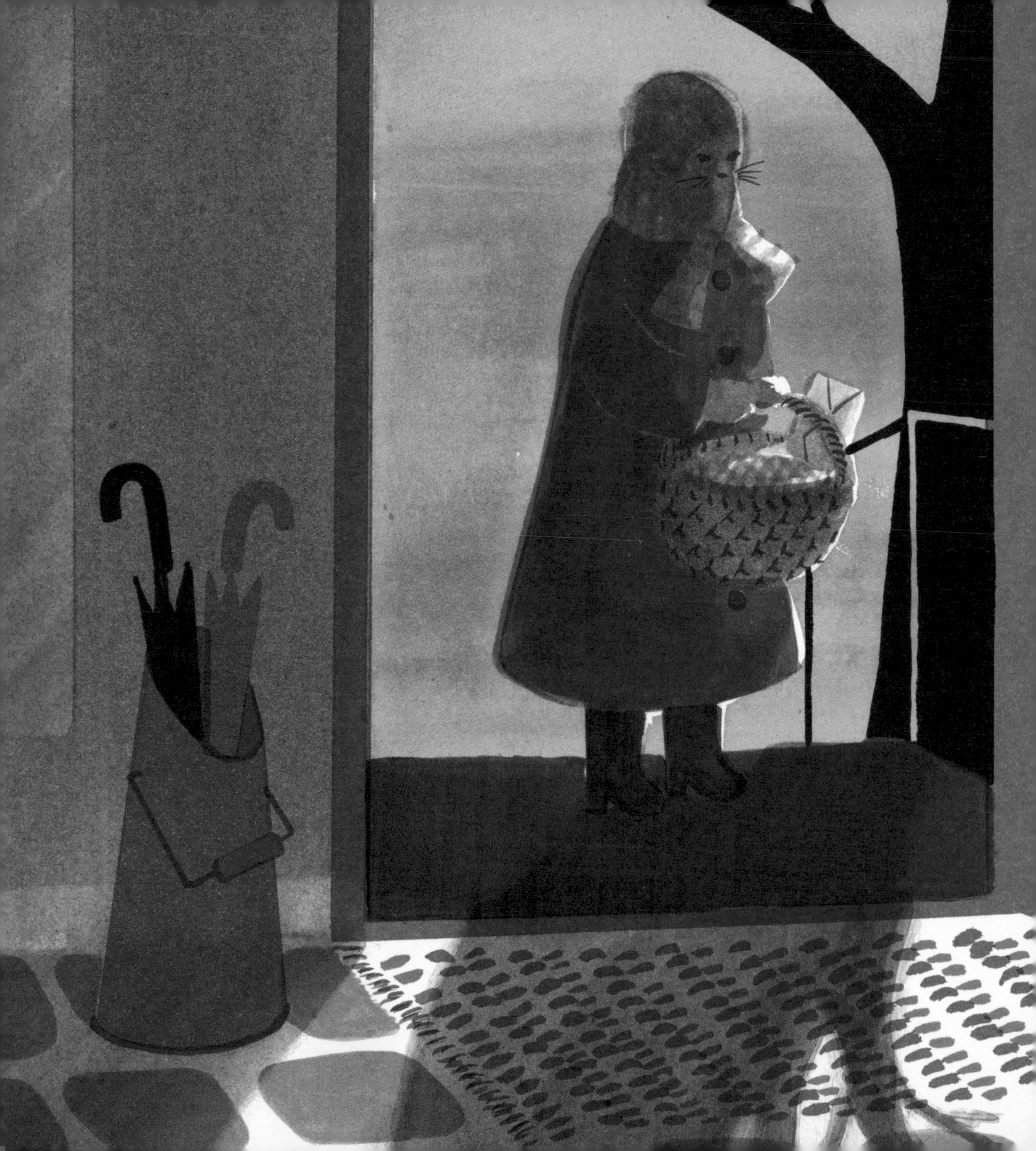

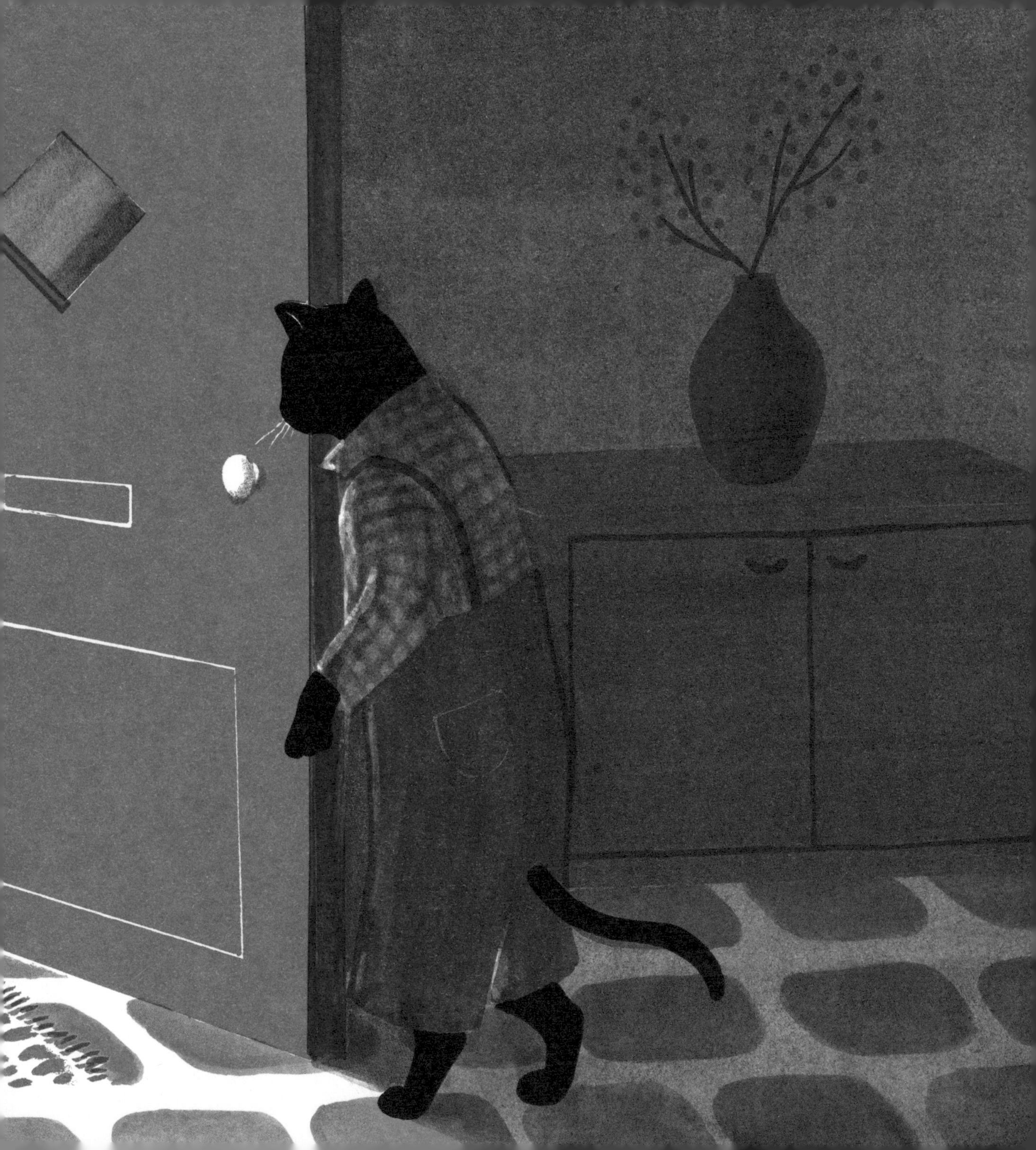

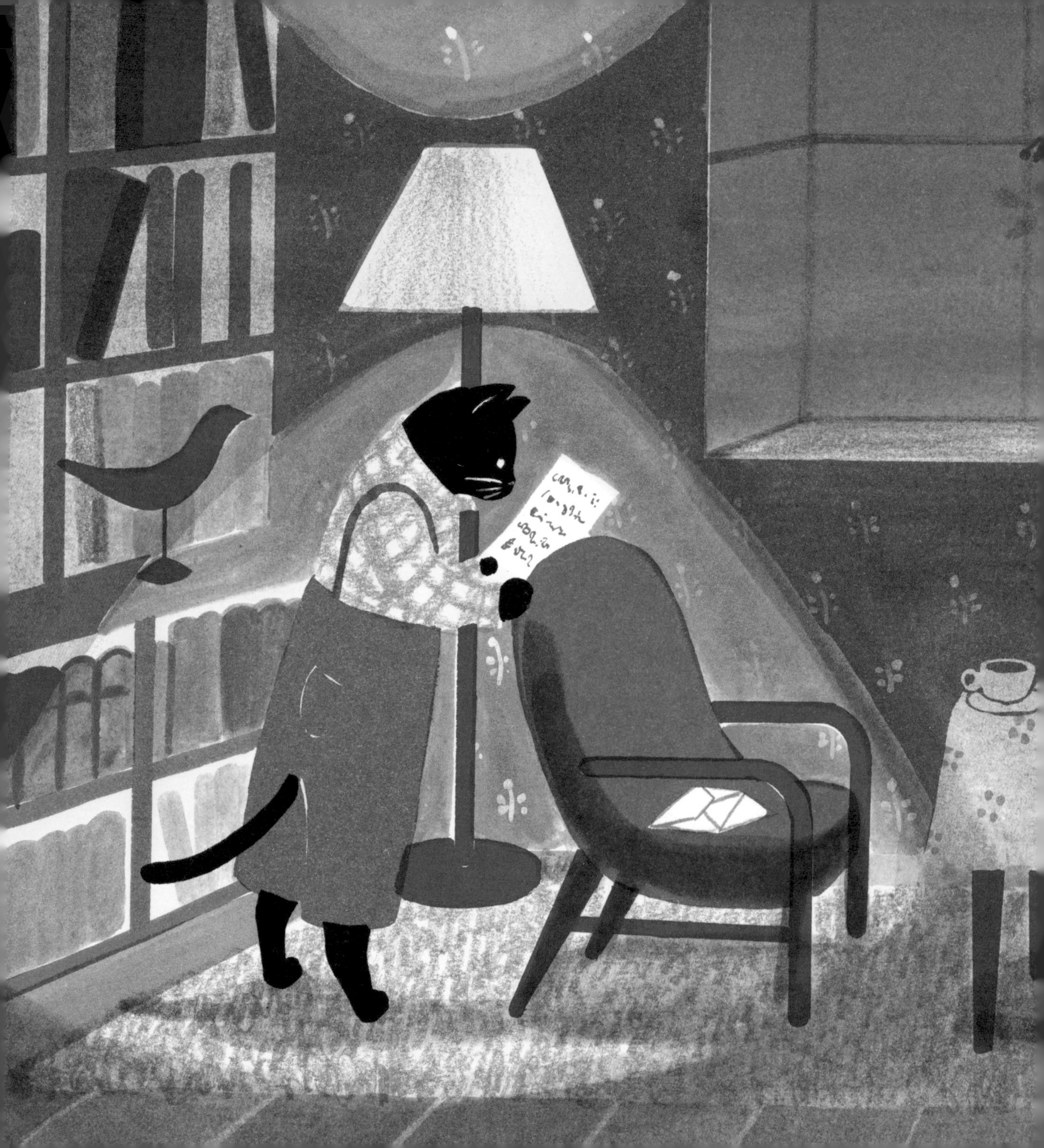

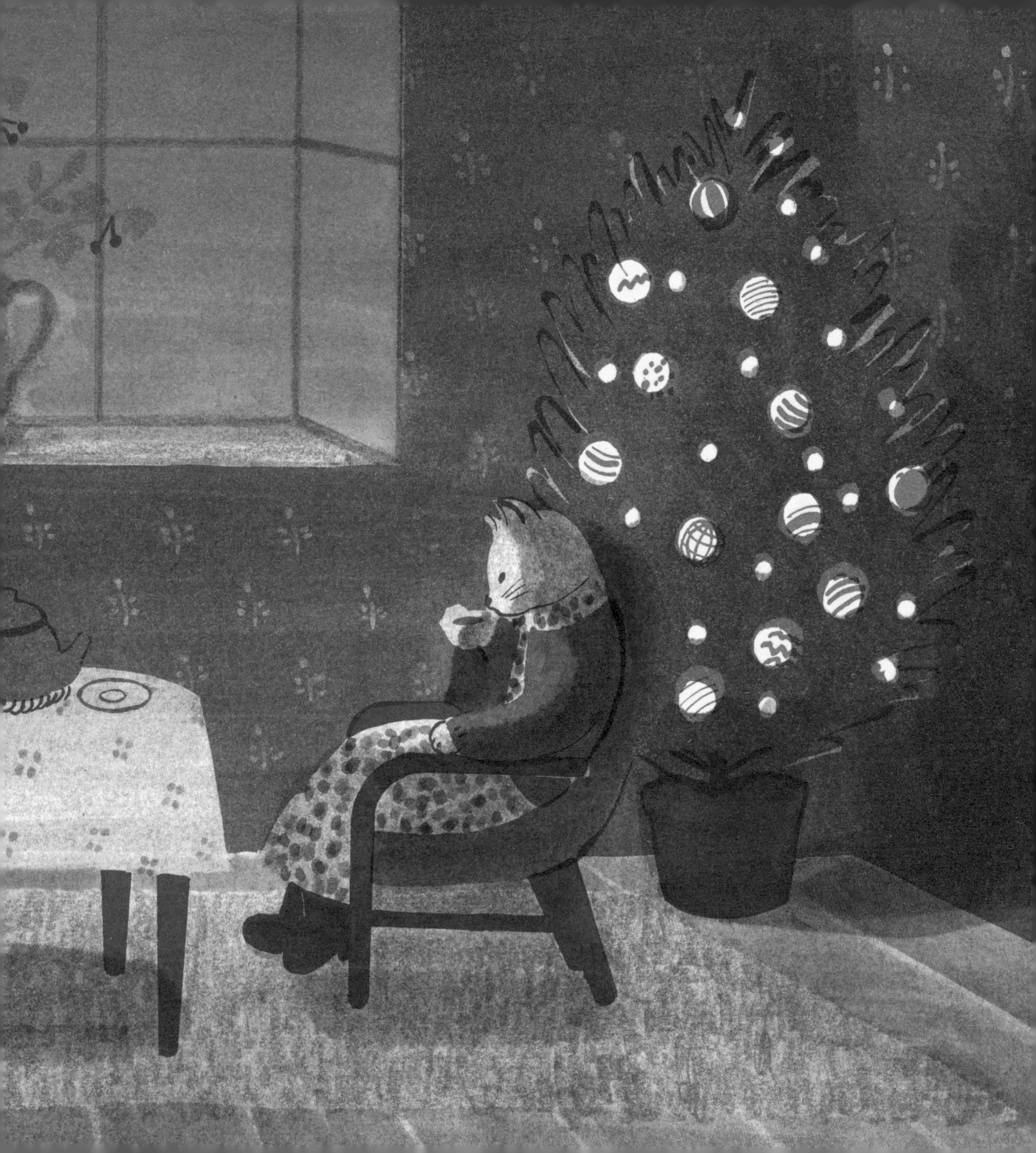

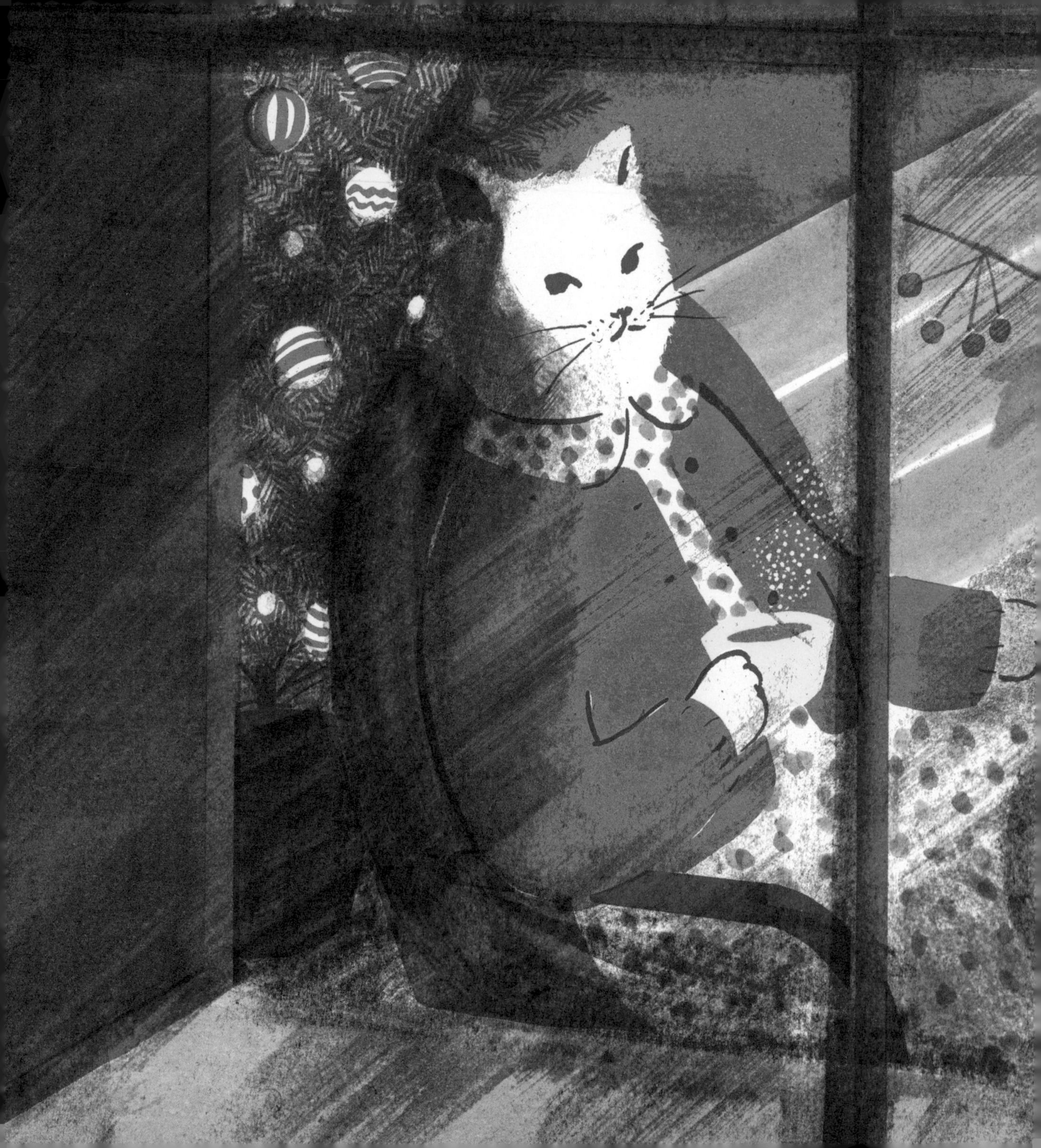

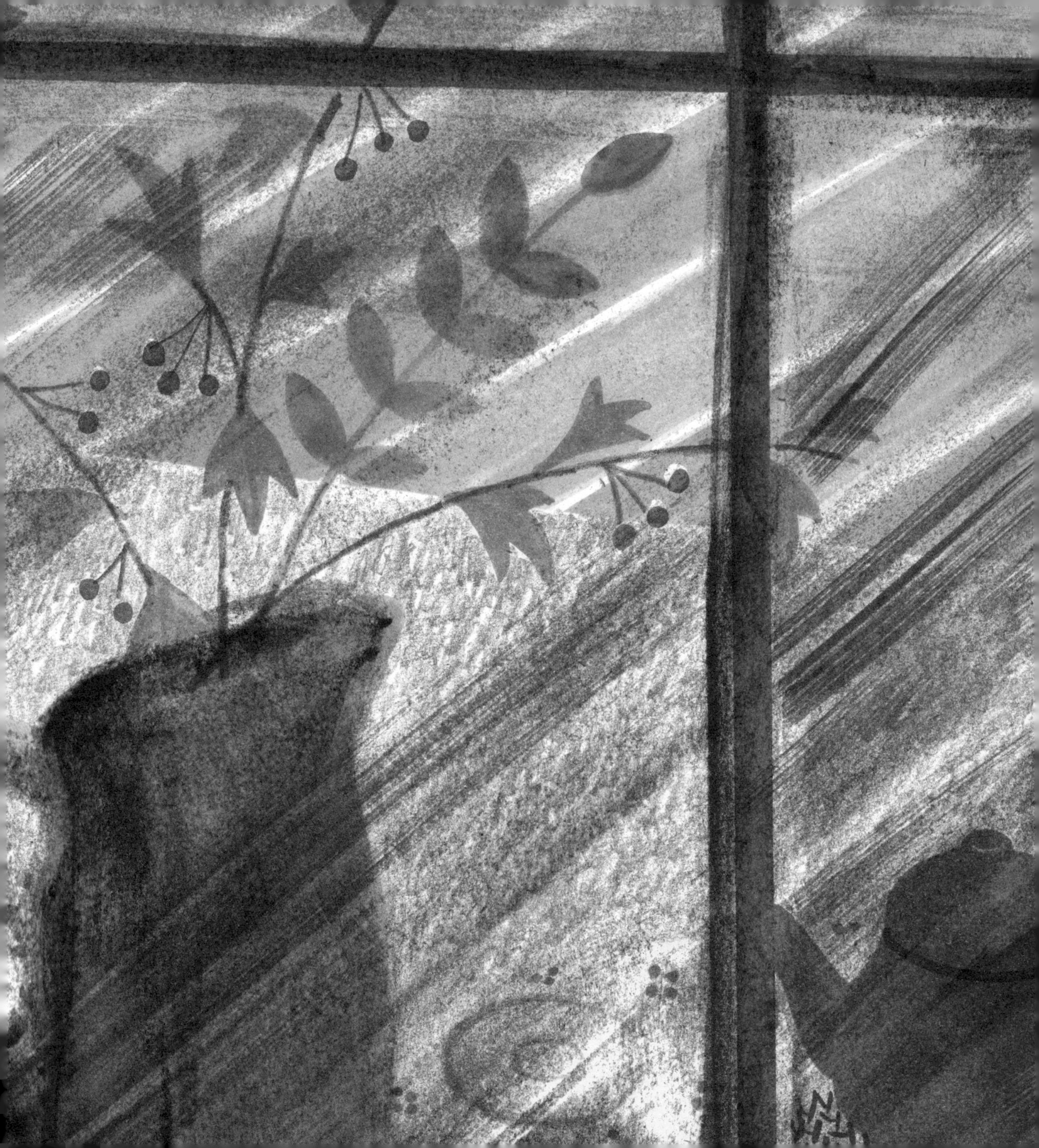

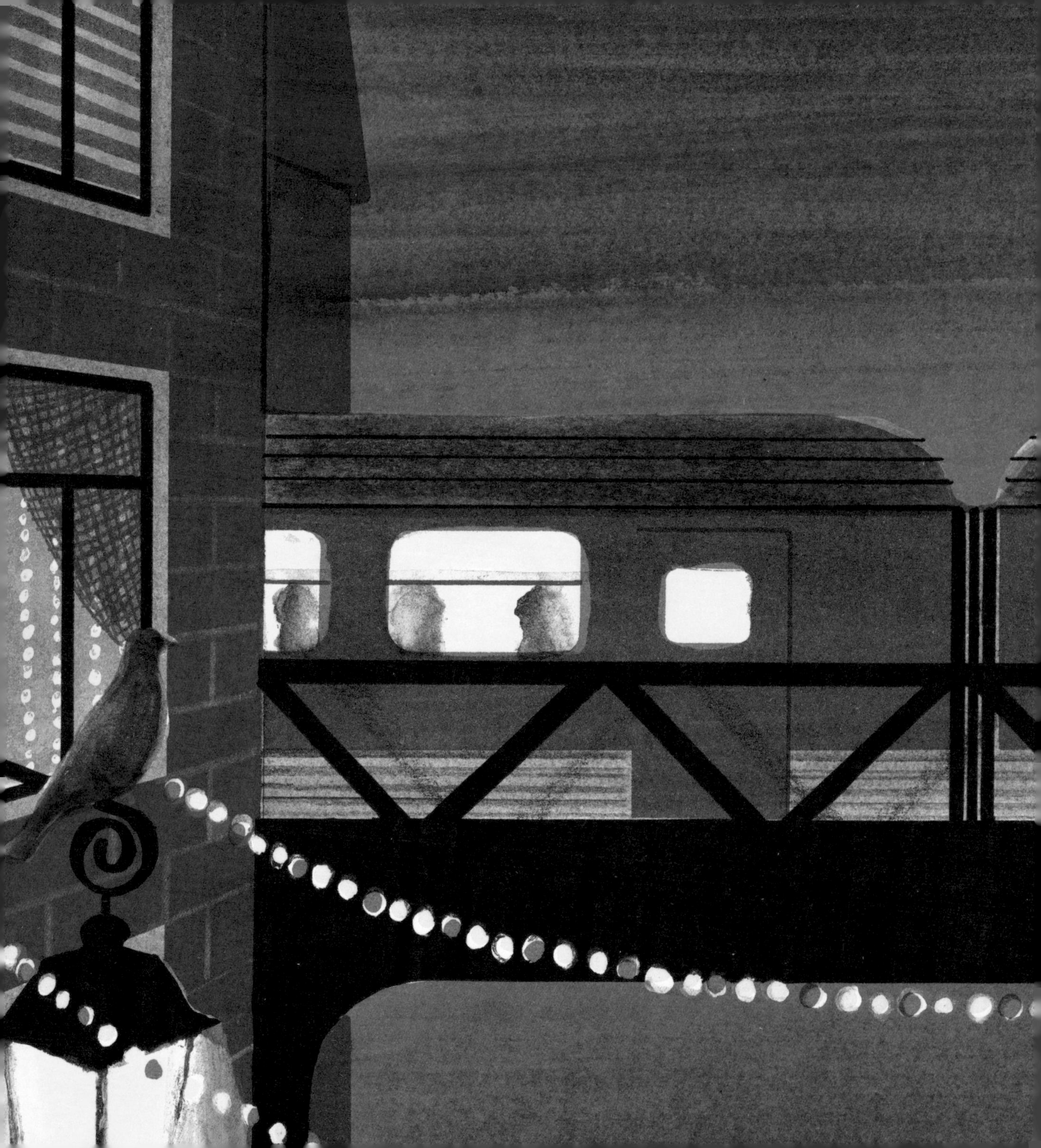

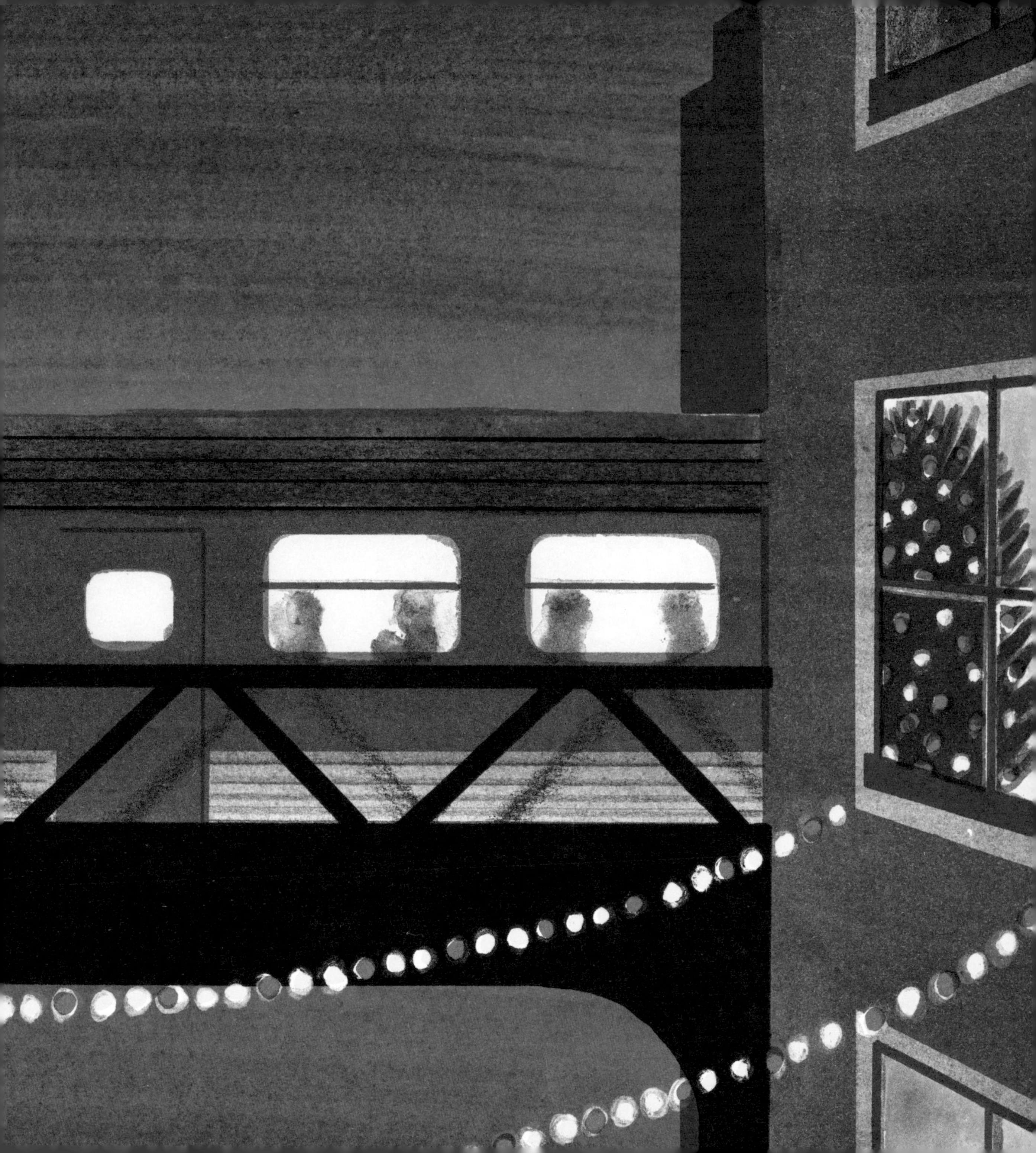

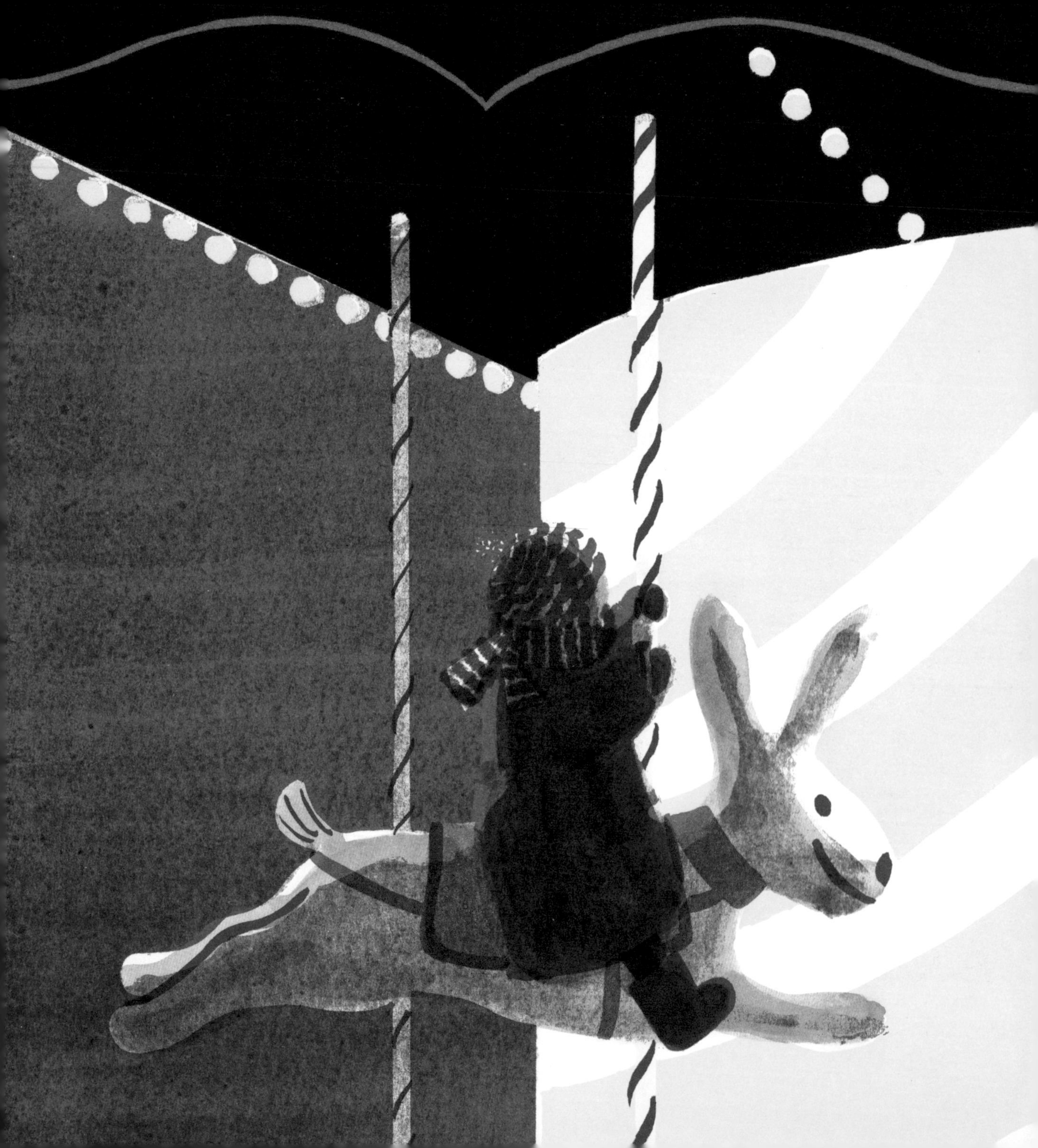

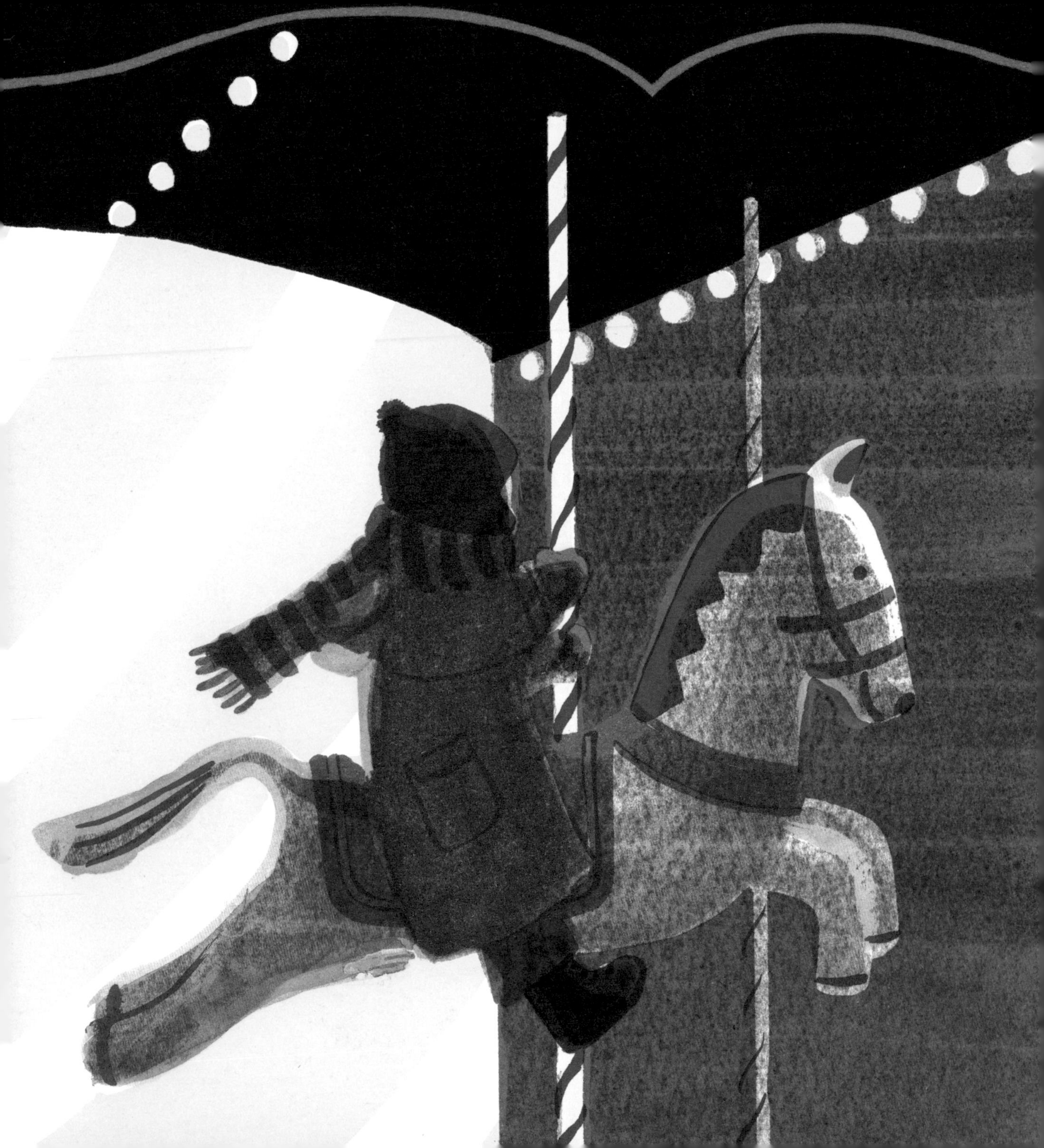

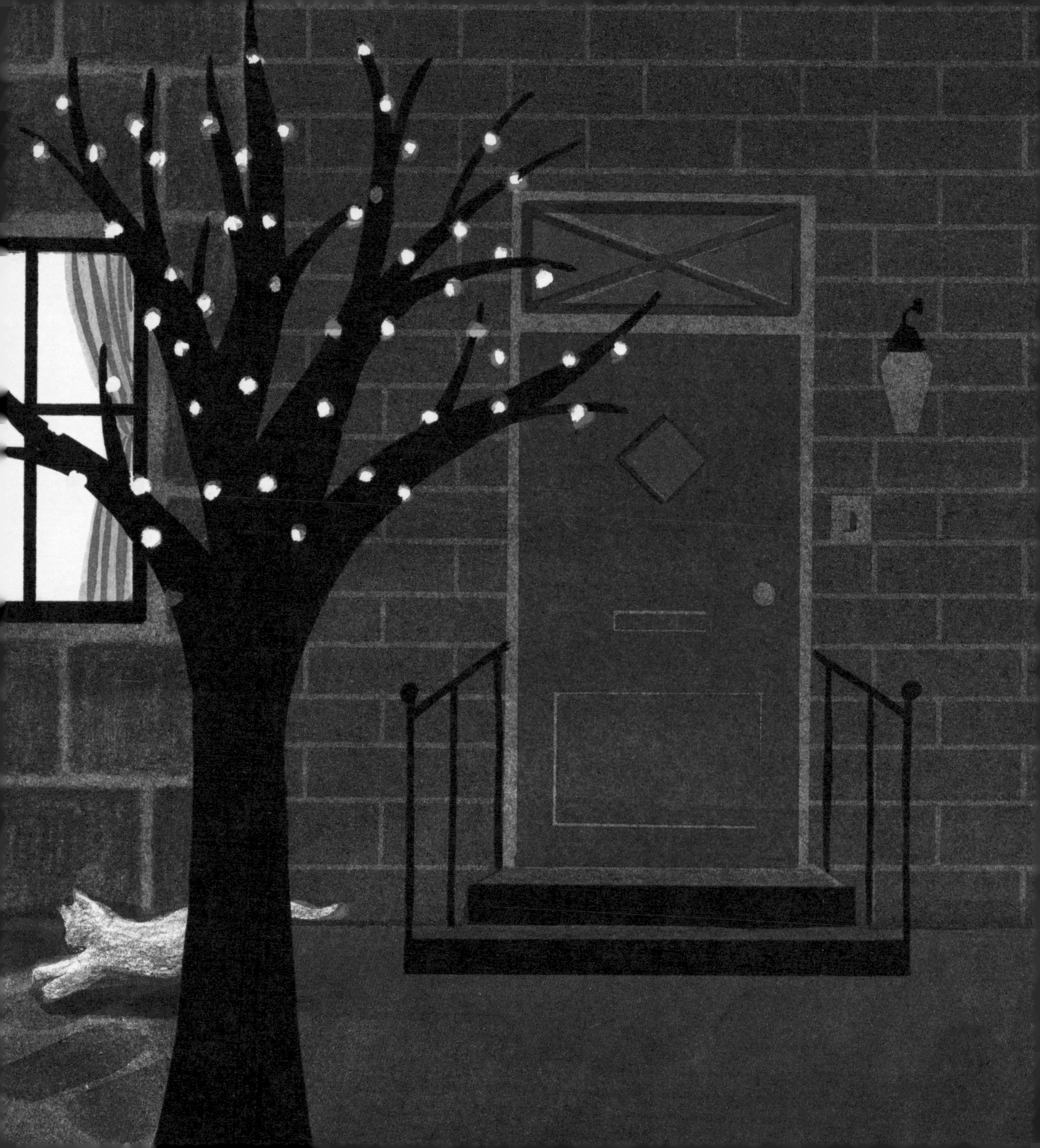

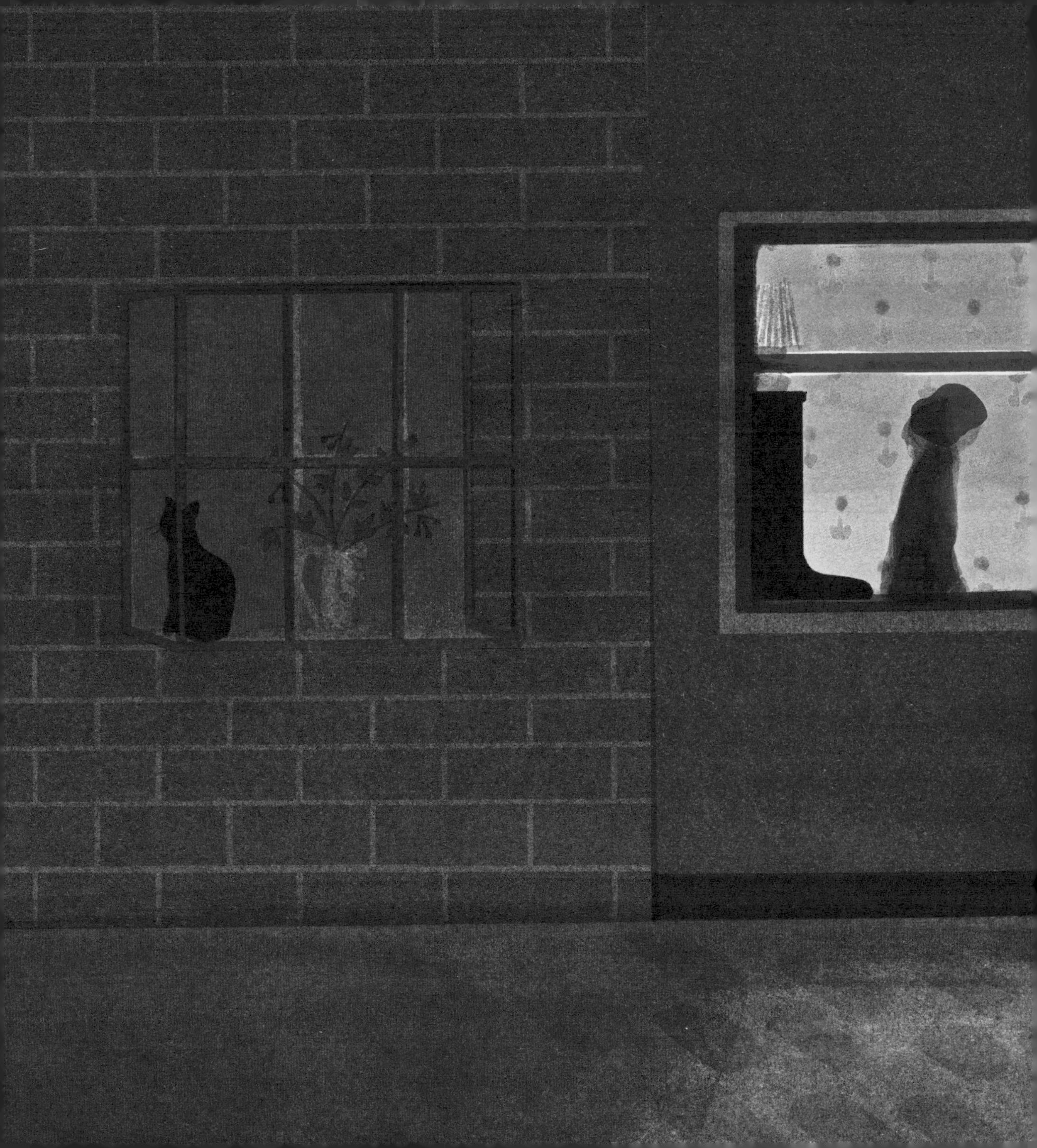

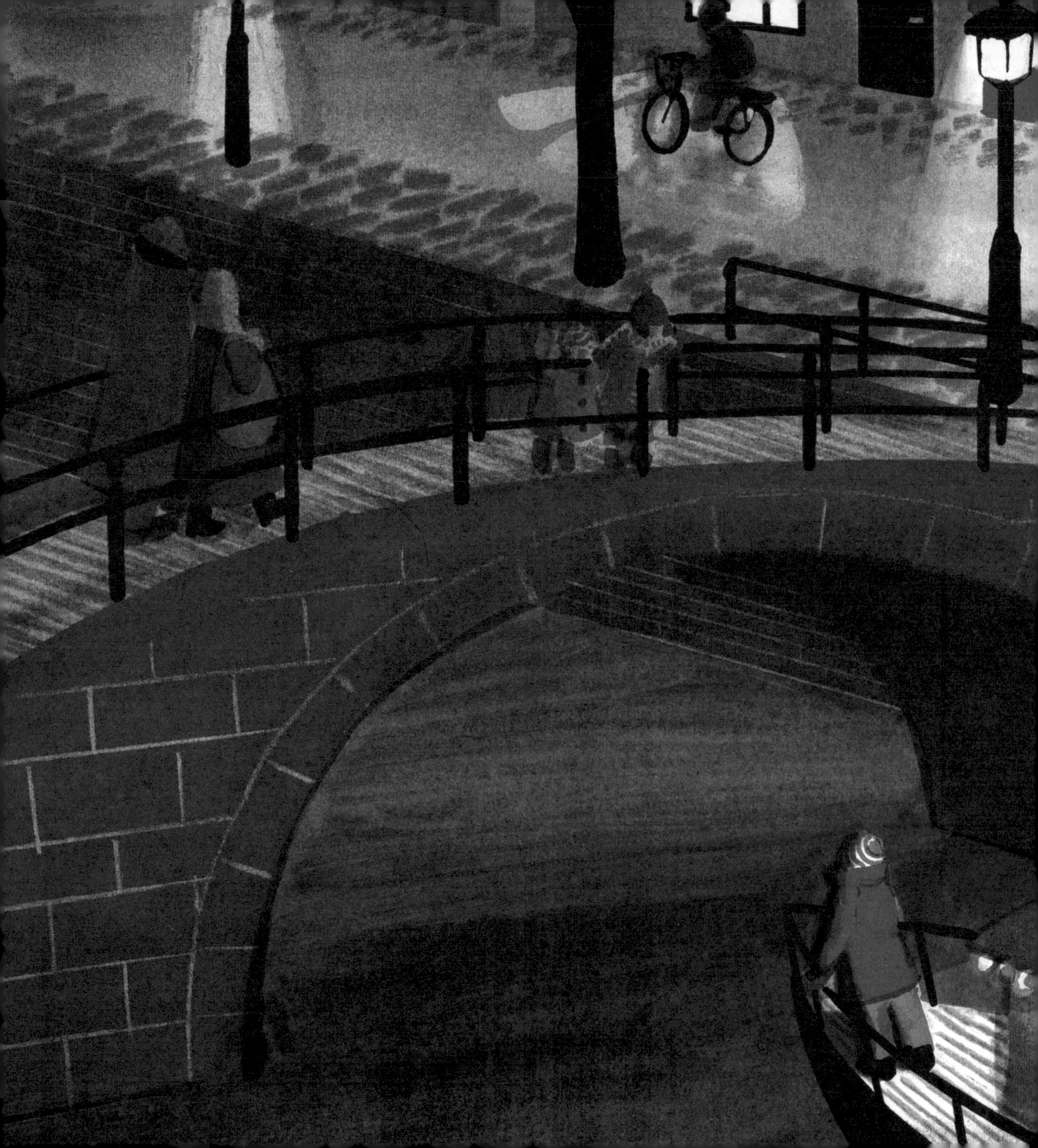

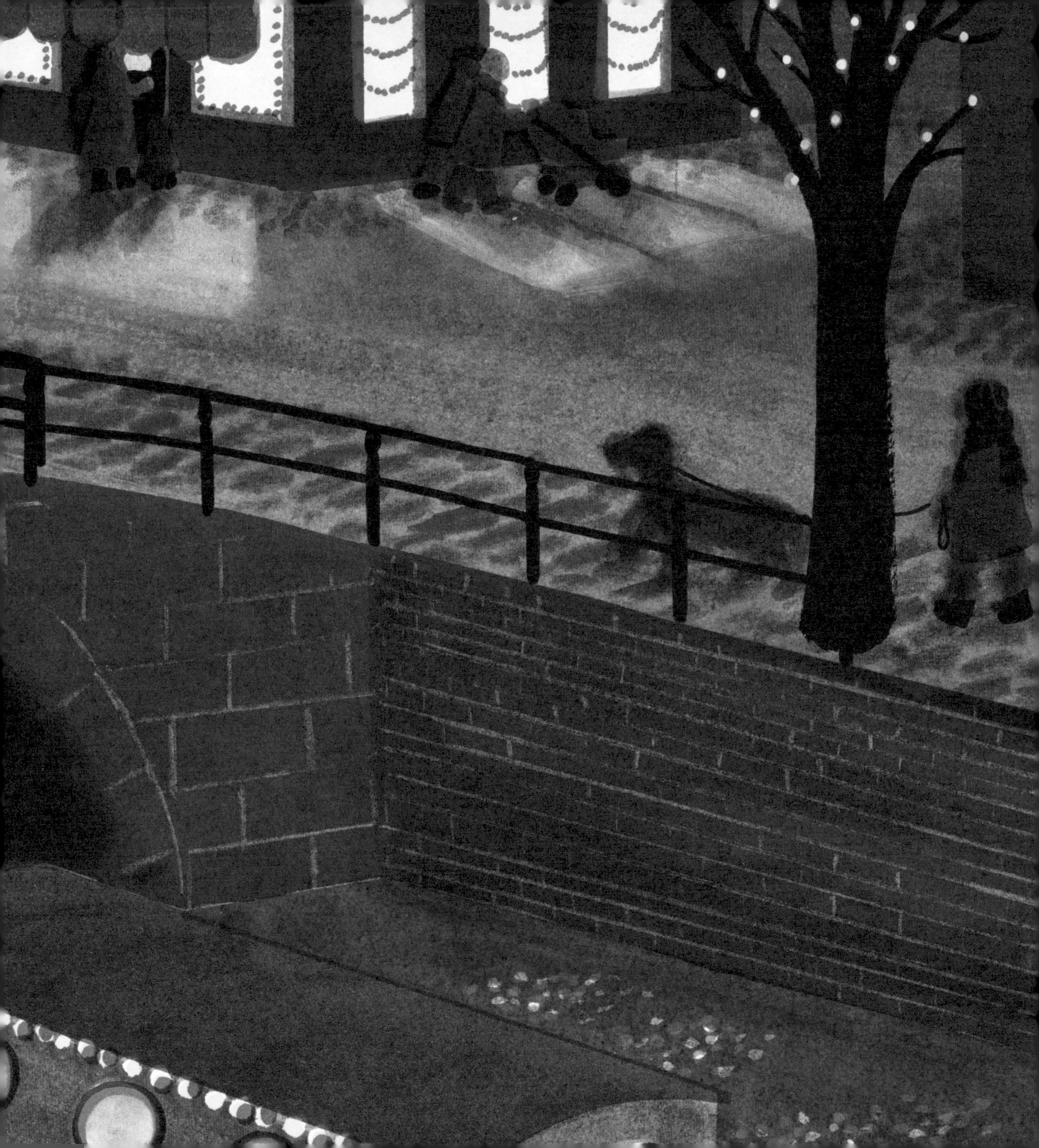

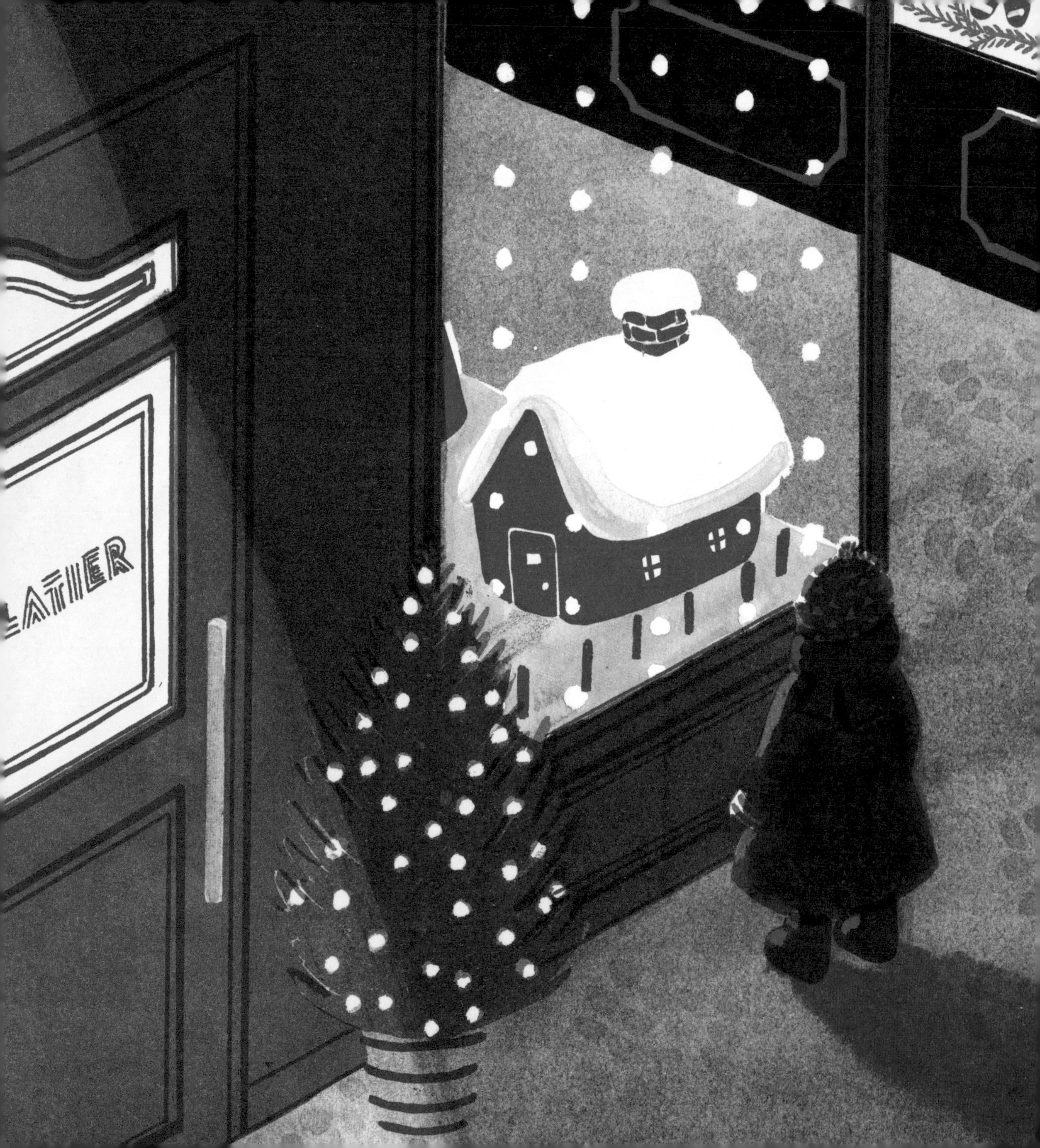
ATIER

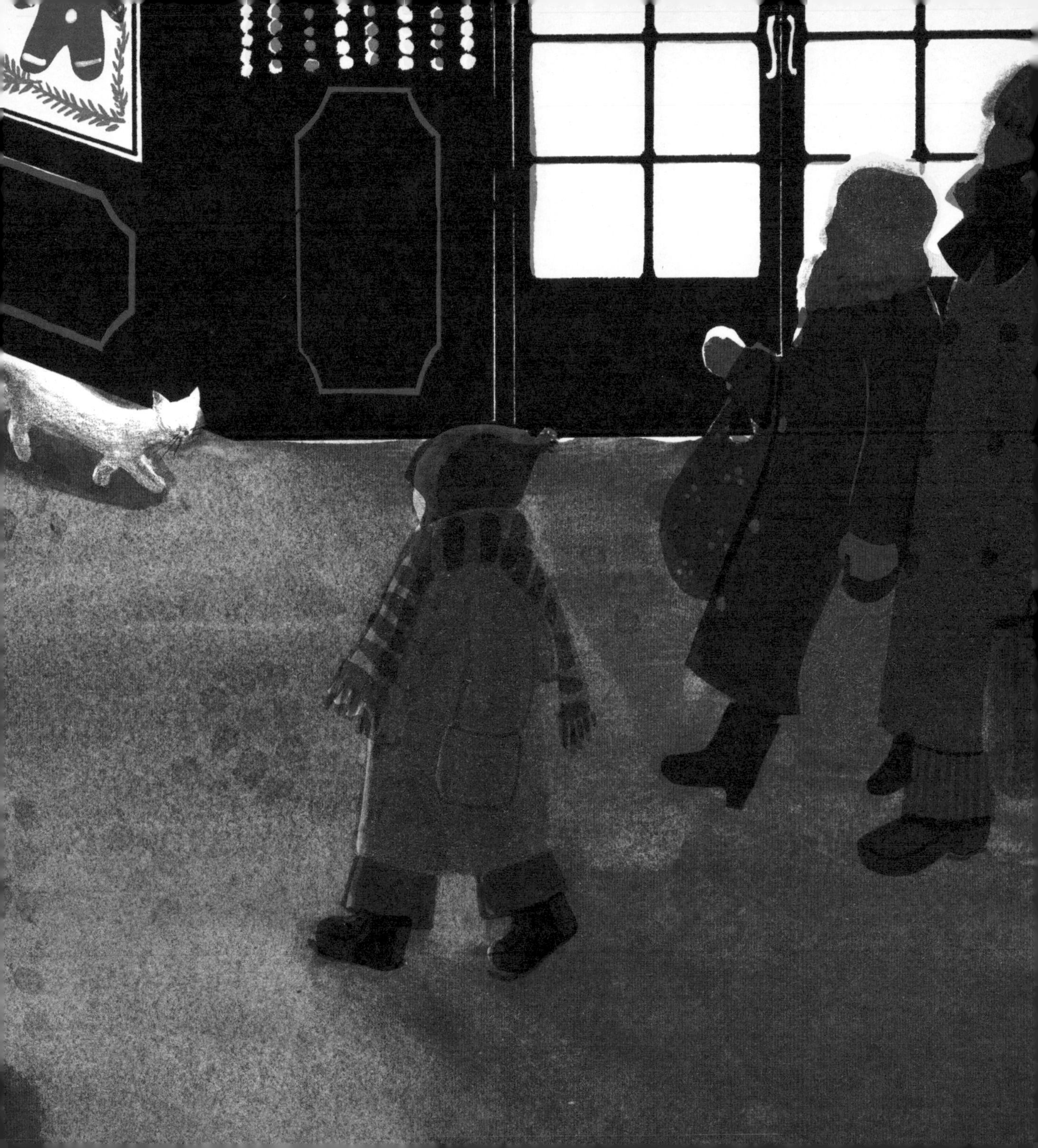

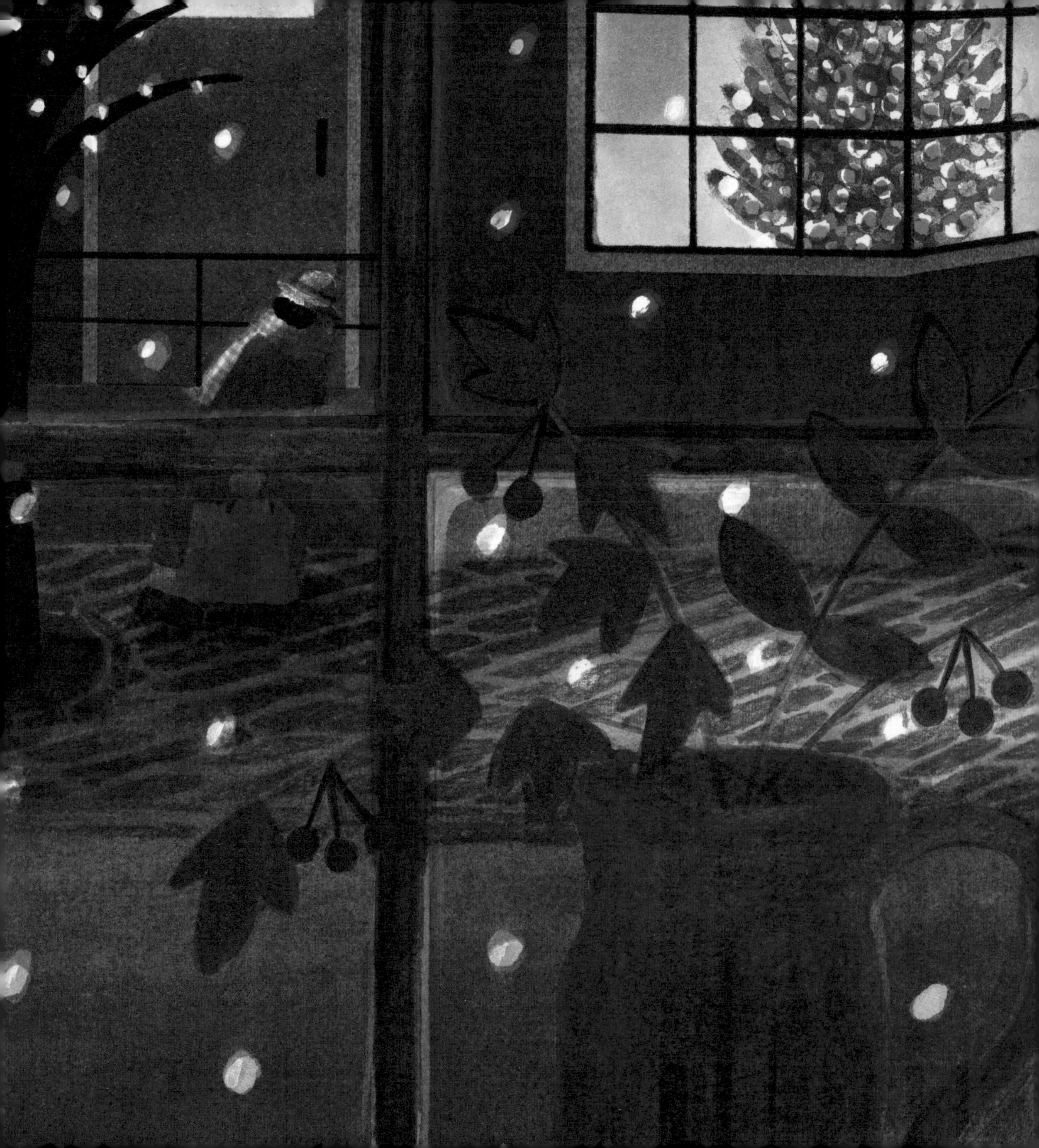

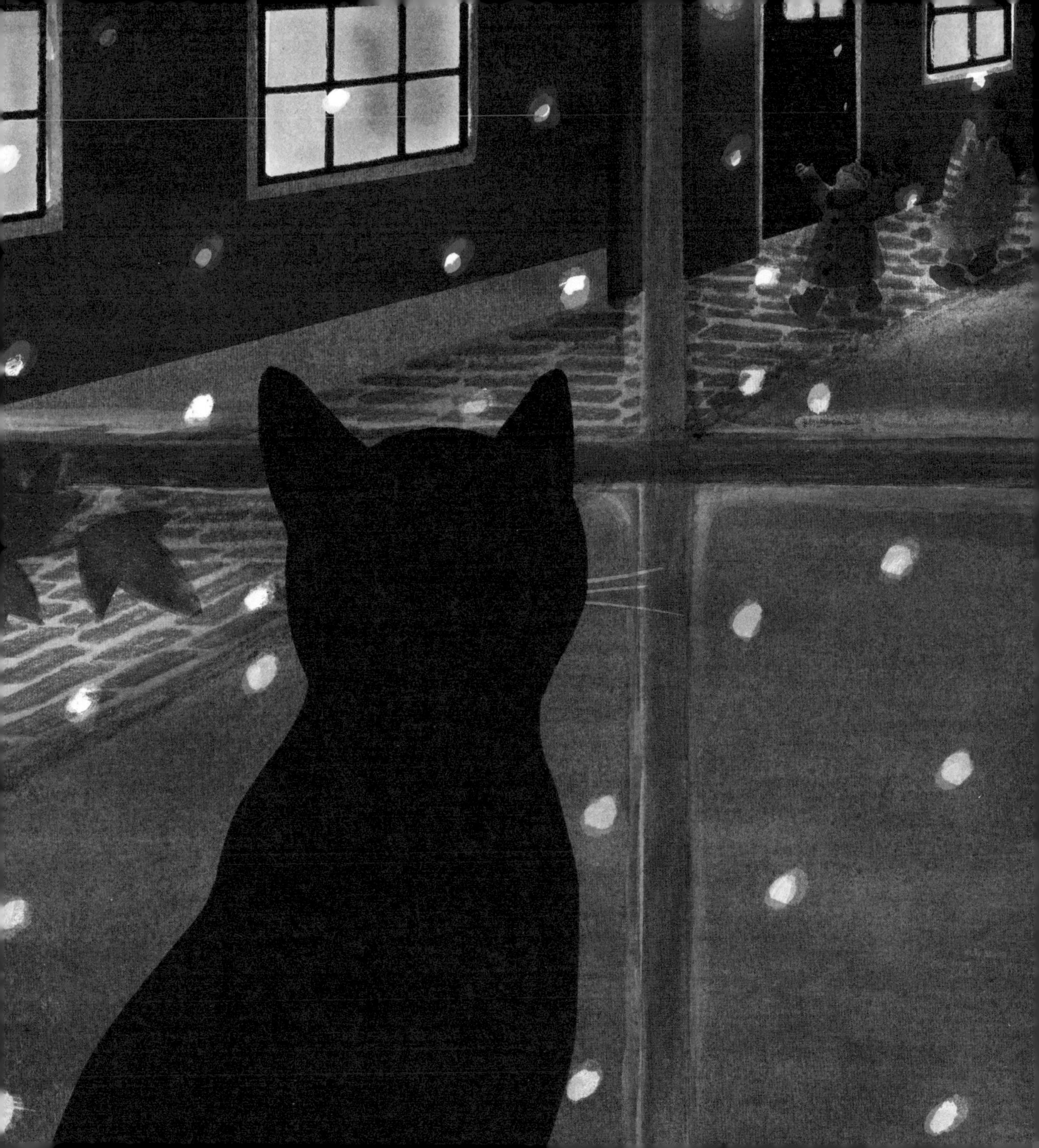

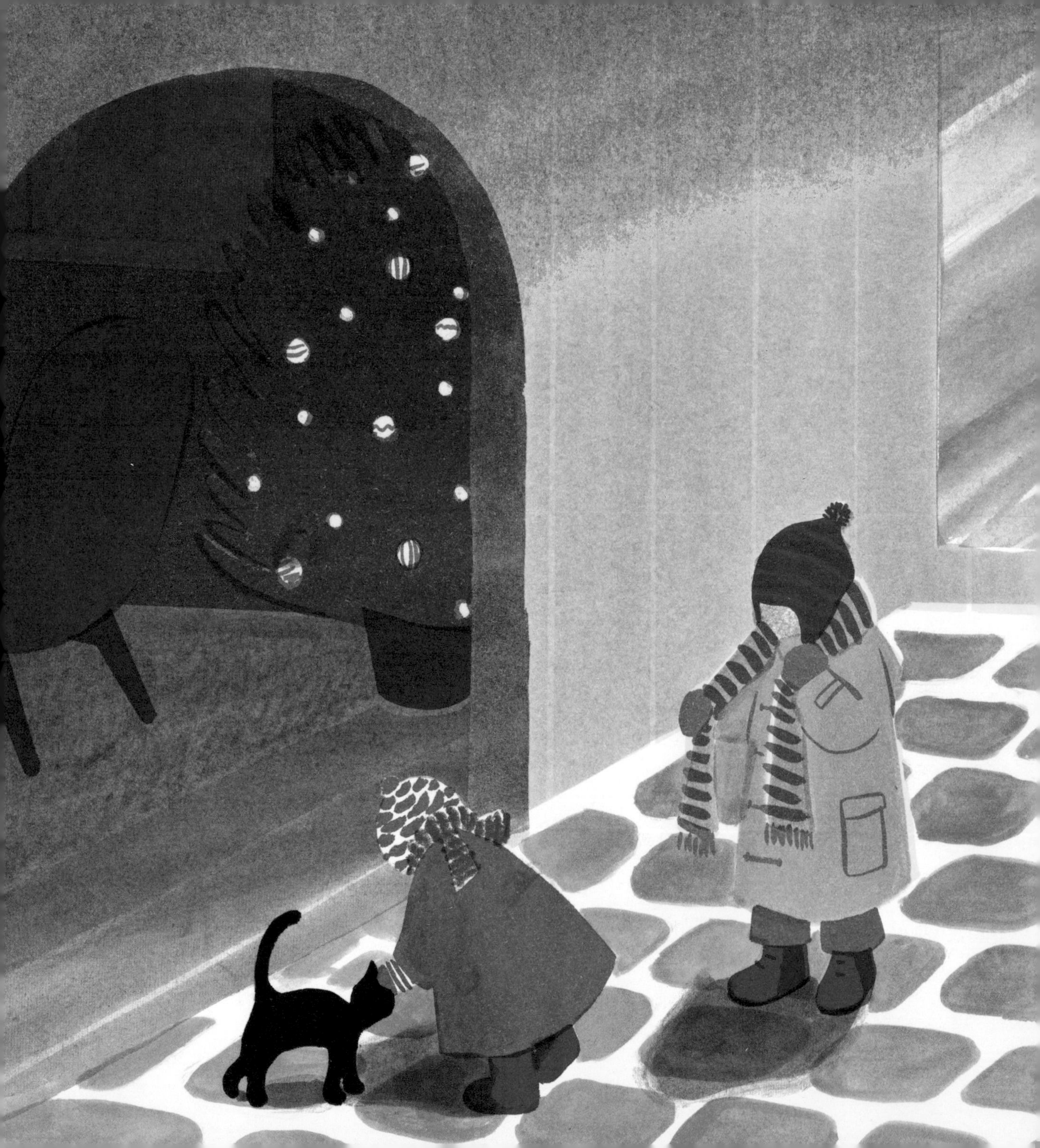

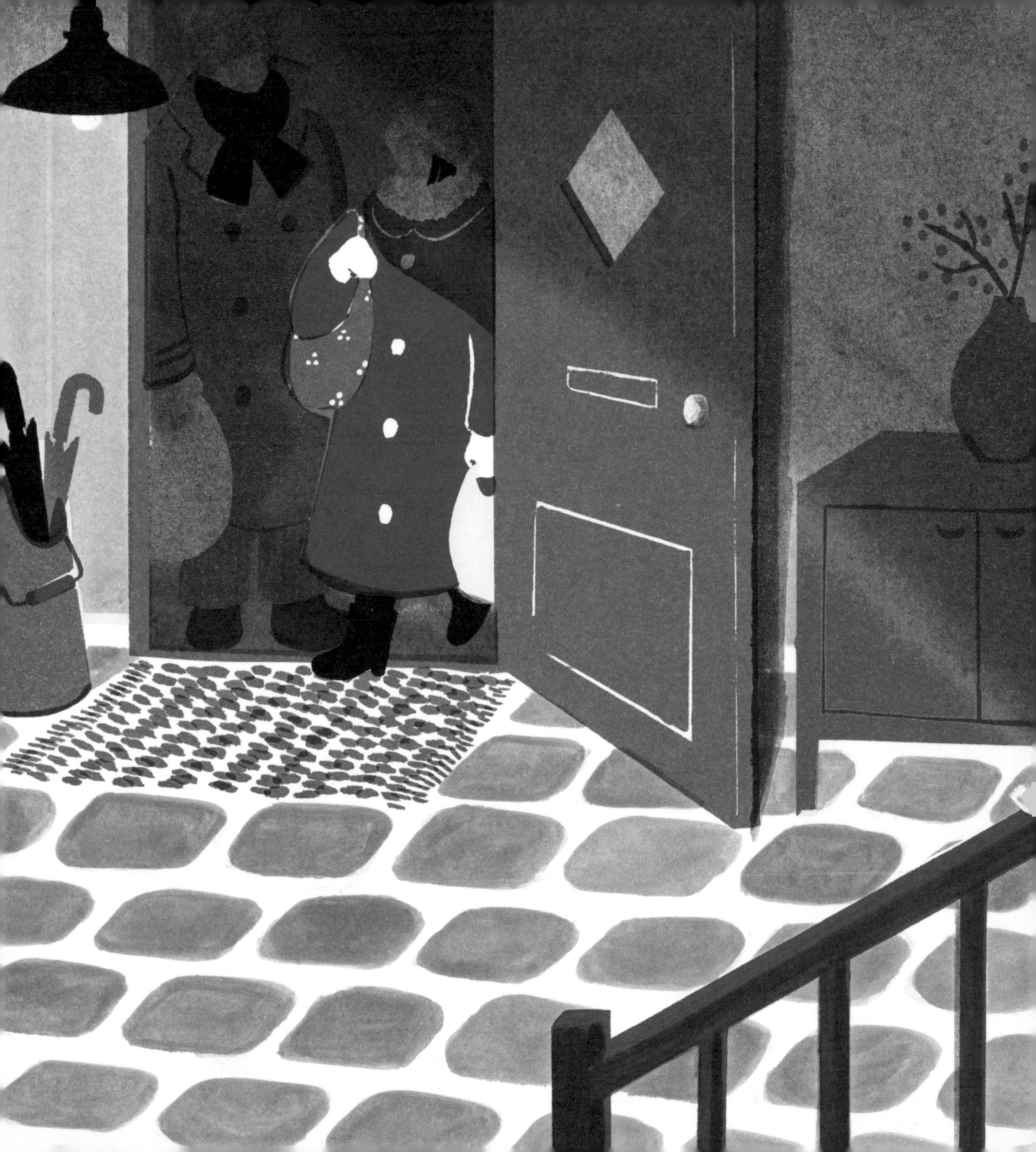

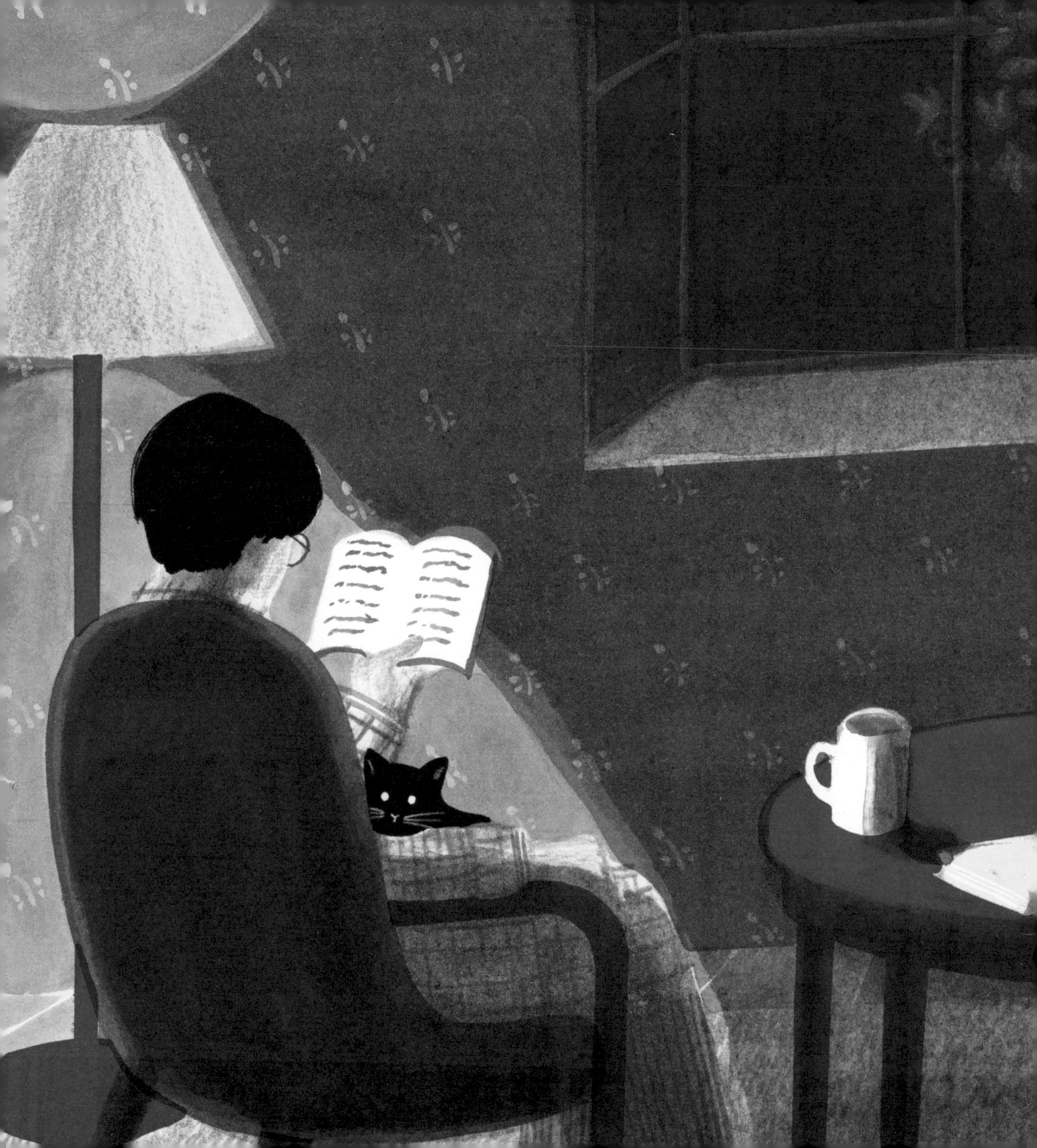